O ÓDIO COMO POLÍTICA

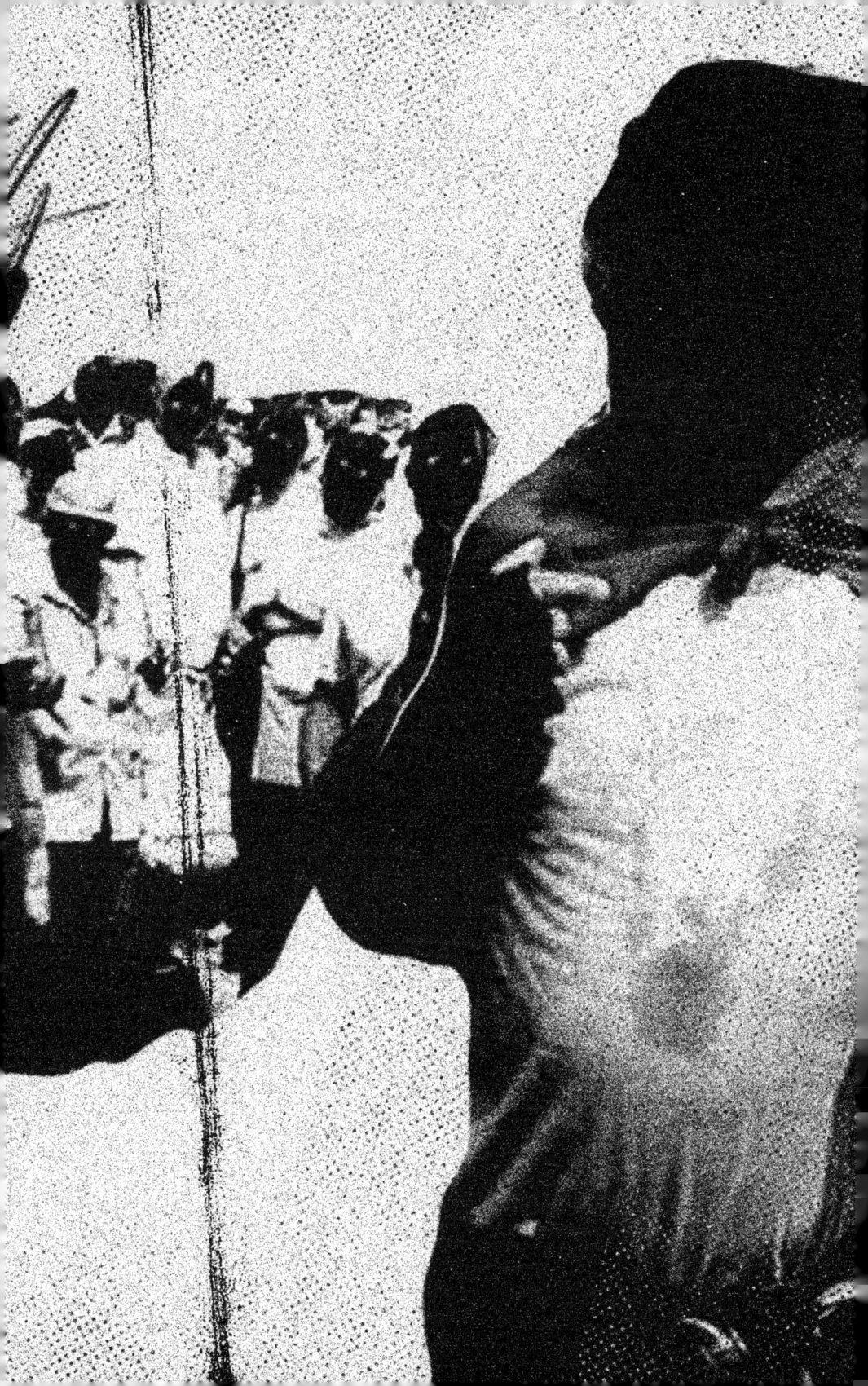

(ORG.)
ESTHER SOLANO GALLEGO

O ÓDIO COMO POLÍTICA

A REINVENÇÃO DAS DIREITAS NO BRASIL

Camila Rocha • Carapanã • Edson Teles • Esther Dweck
Fernando Penna • Ferréz • Flávio Henrique Calheiros Casimiro
Gilberto Maringoni • Gregório Duvivier • Henrique Vieira • Laerte
Lucas Bulgarelli • Lucia Mury Scalco • Luis Felipe Miguel
Luiz Gê • Márcio Moretto Ribeiro • Pedro Rossi
Rosana Pinheiro-Machado • Rubens Casara
Silvio Luiz de Almeida • Stephanie Ribeiro

Copyright desta edição © Boitempo, 2018

Equipe de realização
Artur Renzo, Carolina Yassui, Ivana Jinkings, Kim Doria, Livia Campos, Mauro Lopes, Ronaldo Alves (capa) e Thaisa Burani

Equipe de apoio
Allan Jones, Ana Yumi Kajiki, André Albert, Bibiana Leme, Camila Lie Nakazone, Clarissa Bongiovanni, Eduardo Marques, Elaine Ramos, Frederico Indiani, Heleni Andrade, Isabella Marcatti, Ivam Oliveira, Luciana Capelli, Marlene Baptista, Maurício Barbosa, Talita Lima, Thaís Barros, Renato Soares, Tulio Candiotto

---

CIP-BRASIL. CATALOGAÇÃO NA PUBLICAÇÃO
SINDICATO NACIONAL DOS EDITORES DE LIVROS, RJ

O22

O ódio como política : a reinvenção da direita no Brasil / Luis Felipe Miguel ...[et al.] ; organização Esther Solano Gallego ; [ilustração Laerte, Luiz Gê, Gilberto Maringoni]. - 1. ed. - São Paulo : Boitempo, 2018.
: il. (Tinta Vermelha)

ISBN 978-85-7559-654-8

1. Ciência política. 2. Direita e esquerda (Ciência política). 3. Brasil - Política e governo. I. Miguel, Luis Felipe. II. Gallego, Esther Solano. III. Laerte. IV. Gê, Luiz. V. Maringoni, Gilberto. VI. Série.

18-52342   CDD: 320
    CDU: 32

É vedada a reprodução de qualquer parte deste livro sem a expressa autorização da editora.

1ª edição: setembro de 2018
1ª reimpressão: novembro de 2018; 2ª reimpressão: junho de 2019
3ª reimpressão: março de 2020; 4ª reimpressão: abril de 2021

BOITEMPO
Jinkings Editores Associados Ltda.
Rua Pereira Leite, 373
05442-000 São Paulo SP
Tel.: (11) 3875-7250 / 3875-7285
editor@boitempoeditorial.com.br | www.boitempoeditorial.com.br
www.blogdaboitempo.com.br | www.facebook.com/boitempo
www.twitter.com/editoraboitempo | www.youtube.com/tvboitempo

Sumário

Prólogo, *Gregório Duvivier* 9

Apresentação, *Esther Solano Gallego* 13

A reemergência da direita brasileira, *Luis Felipe Miguel* 17

Neoconservadorismo e liberalismo, *Silvio Luiz de Almeida* 27

A nova direita e a normalização do nazismo e do fascismo, *Carapanã* 33

As classes dominantes e a nova direita no Brasil contemporâneo,
Flávio Henrique Calheiros Casimiro 41

O *boom* das novas direitas brasileiras: financiamento ou militância?,
Camila Rocha 47

Da esperança ao ódio: a juventude periférica bolsonarista,
Rosana Pinheiro-Machado e Lucia Mury Scalco 53

Periferia e conservadorismo, *Ferréz* 61

A produção do inimigo e a insistência do Brasil violento e de exceção,
Edson Teles 65

Precisamos falar da "direita jurídica", *Rubens Casara* 73

O discurso econômico da austeridade e os interesses velados,
Pedro Rossi e Esther Dweck 79

Antipetismo e conservadorismo no Facebook, *Márcio Moretto Ribeiro* 85

Fundamentalismo e extremismo não esgotam experiência do
sagrado nas religiões, *Henrique Vieira* 91

Moralidades, direitas e direitos LGBTI nos anos 2010, *Lucas Bulgarelli* ... 97

Feminismo: um caminho longo à frente, *Stephanie Ribeiro* 103

O discurso reacionário de defesa de uma "escola sem partido",
Fernando Penna 109

Sobre os autores 115

Prólogo
Gregório Duvivier

Tudo o que a direita brasileira propõe é o que já foi praticado nos nossos quinhentos anos de história. Feito dizer: "Você tá doente? Eu inventei um negócio: você corta seu antebraço e deixa sangrar". Então, isso se chama sangria e faz quatro mil anos que não dá certo. "Queria propor uma coisa nova, que é queimar tudo que é bruxa."

Se tem uma coisa que o Brasil não precisa é de moral cristã e ordem militar. Tudo o que a gente teve até hoje é porrada e missa. E a gente é a prova viva do fracasso de ambos.

Ninguém no Brasil nunca fez merda em nome do Capeta, da Maconha ou da Sacanagem. Toda vez que mataram, escravizaram e torturaram no Brasil foi em nome de Deus, da Pátria e da Família.

"Nossa bandeira jamais será vermelha", dizem os cidadãos de bem, vestindo verde e amarelo. Já é vermelha há muito tempo, graças a vocês.

Nota da editora

Em 2015 o Brasil "descobriu", surpreso, que havia uma direita militante e aguerrida no país, que saiu às ruas, perdeu a vergonha de mostrar-se e, no processo do golpe de Estado contra Dilma Rousseff, passou a hegemonizar a imprensa, as redes sociais e a agenda política e dos temas morais no país. Foi um choque. Que direita é essa? Ou melhor: que direitas são essas? Como surgiram, organizaram-se, passaram a polarizar a sociedade e avançar sobre o Estado? Essas e outras perguntas estão no coração deste *O ódio como política: a reinvenção das direitas no Brasil*. Não há autores de direita entre os dezoito que colaboraram com o livro. No entanto, todos eles buscaram mergulhar nesse universo, de certa forma novo e assustador, sem qualquer preconceito, com o desejo honesto de conhecer e interpretar seu significado.

Organizado pela socióloga Esther Solano, com a colaboração de Kim Doria, de nossa equipe interna, e do jornalista Mauro Lopes, *O ódio como política* conta ainda com as charges – narrativas à parte – de Gilberto Maringoni, Laerte e Luiz Gê. Antecedido por *Occupy: movimentos de protesto que tomaram as ruas* (2012), *Cidades rebeldes: Passe Livre e as manifestações que tomaram as ruas do Brasil* (2013), *Brasil em jogo: o que fica da Copa e das Olimpíadas?* (2014), *Bala perdida: a violência policial no Brasil e os desafios para sua superação* (2015) e *Por que gritamos golpe? Para entender o impeachment e a crise política no Brasil* (2016), este é o sexto volume da coleção Tinta Vermelha, que reúne obras de intervenção e teorização sobre acontecimentos atuais. O título da coleção é uma referência ao discurso de Slavoj Žižek aos manifestantes do Occupy Wall Street, no Zuccotti Park, em Nova York, no dia 9 de outubro de 2011. O filósofo esloveno usou a metáfora da "tinta vermelha" para expressar a encruzilhada ideológica do século XXI: "Temos toda a liberdade que desejamos – a única coisa que falta é a 'tinta vermelha': nos 'sentimos livres' porque somos desprovidos da linguagem para articular nossa falta de liberdade"*.

Para tornar o livro mais acessível, todos os autores abriram mão de receber remuneração pela publicação de seus textos e charges. A todos esses colaboradores, e também aos demais autores de nosso catálogo que nos ajudam a fomentar a reflexão e o olhar crítico sobre nosso tempo, nosso mais caloroso agradecimento. Boa leitura!

---

* A íntegra do discurso está disponível online na postagem "A tinta vermelha: discurso de Žižek no Occupy Wall Street", de 11 out. 2011, no *Blog da Boitempo*. A tradução é de Rogério Bettoni. (N. E.)

Apresentação
Esther Solano Gallego

Ao longo destes últimos anos, o campo progressista assistiu perplexo, atrapalhado e inativo à reorganização e ao fortalecimento político das direitas. "Direitas", "novas direitas", "onda conservadora", "fascismo", "reacionarismo"... Uma variedade de conceitos e sentidos para um fenômeno que é indiscutível protagonista nos cenários nacional e internacional de hoje: a reorganização neoconservadora que, em não poucas ocasiões, deriva em posturas autoritárias e antidemocráticas. Depois de seguidas derrotas (vitória de Trump, Brexit, popularidade de Bolsonaro), não é possível ficar numa postura desorientada e titubeante, sob o risco de as forças democráticas serem engolidas por aquilo que deveríamos combater com veemência. Este livro procura aprofundar-se nas complexas dinâmicas das direitas desde diversos pontos de vista e análises. Este livro é escrito a partir da reflexão, da crítica, da denúncia e da proposta.

Durante minha pesquisa com simpatizantes de Bolsonaro, lembro-me de um jovem bolsonarista que, depois de várias horas de conversa, disse em tom de crítica: "Professora, vocês da academia estudam tanto e parece que ainda não entenderam muitas coisas. Tratam a gente como se fôssemos todos burros. Não somos. Deveriam escutar mais, porque vocês não sabem de tudo".

Esse jovem estava errado? Se quisermos de fato lutar contra as direitas, com frequência antidemocráticas e retrógradas, devemos primeiro observar, escutar, enxergar a realidade e entendê-la, para depois combatê-la. Não sabemos tudo. Aprendamos juntos.

Luis Felipe Miguel abre este livro apresentando os três eixos da extrema-direita brasileira: o libertarianismo, que sacraliza o mercado como regulador máximo das relações sociais; o fundamentalismo religioso, que, em nome de Deus e da verdade absoluta revelada, anula qualquer possibilidade de debate; e a reciclagem do perigo vermelho, o *revival* do anticomunismo na sua mais nova versão, o bolivarianismo. Silvio Almeida continua o raciocínio discorrendo sobre a distinção entre o conservadorismo clássico e neoconservadorismo atual, explicitando o vínculo deste último com o neoliberalismo. A sociabilidade capitalista, a acumulação predatória, a desigualdade e a violência da centralidade de mercadoria e do lucro precisam ser mantidas a todo custo e, para garantir isso, a democracia não passa de um detalhe incômodo. O neoliberalismo exige *desdemocratização*, que é o cerne da virada hegemônica neoconservadora.

Carapaná tenta responder à pergunta por ele mesmo proposta de como chegamos a este cenário. Na América Latina e no Brasil, a exaustão da Onda Rosa e o antipetismo, num cenário global de recessão democrática, desembocaram numa "nova direita", muito favorecida pela internet, com duas características fundamentais: ataque ao Estado como garantidor de direitos civis e humanos, diferente ao anterior neoliberalismo que desmontou o Estado de bem-estar social, e a obsessão por questões culturais.

Flávio Henrique Calheiros Casimiro trabalha a cronologia do processo de reorganização do pensamento e da ação política das direitas brasileiras, buscando suas raízes em 1980. Resgata momentos históricos da criação de organizações de produção do consenso em torno das reformas neoliberais, como o Instituto de Estudos Empresariais em 1984 até os mais recentes, como o Estudantes pela Liberdade, lançado no Fórum da Liberdade de 2012 e cujo braço de atuação política e ideológica é o MBL. Camila Rocha continua o caminho cronológico e questiona se poderíamos caracterizar as novas direitas brasileiras como militância ou como resultado de financiamento e traz o exemplo da organização norte-americana Atlas Network, que articula mais de quatrocentos *think tanks* pró-mercado espalhados pelo mundo, analisando como essa rede internacional se relaciona com a dinâmica da *The Cashmere Revolution* e os movimentos pró-impeachment: Movimento Brasil Livre, Vem pra Rua, Revoltados Online.

Rosana Pinheiro-Machado e Lucia Mury Scalco trazem os resultados de uma etnografia longitudinal, que vem sendo realizada desde 2009, sobre consumo e política entre jovens do Morro da Cruz, na periferia de Porto Alegre. Ambas as autoras pesquisaram as transformações nas condições materiais e da própria subjetividade pelas quais esses jovens passaram nos últimos anos e que migraram da esperança frustrada até o ódio bolsonarista entre eles. Ferréz continua falando de periferias e do reacionarismo nelas, com uma linguagem forte e poética: "Quando um caminhoneiro sobe no caminhão parado pelo protesto e grita pela intervenção militar, ele não quer viver rodeado de tanques e pedir licença para ir trabalhar. Quer sim poder pagar suas dívidas, seu aluguel, alimentar seus filhos e seguir sua vida, mas o caminho que acha para isso é pedir essa mudança".

Como não falar de Poder Judiciário no Brasil pós-Lava Jato num livro sobre o pensamento conservador? Rubens Casara escreve sobre a direita jurídica de tradição antidemocrática, marcada por uma herança colonial e escravocrata, coadjuvante da racionalidade neoliberal do Estado pós-democrático. Destaca ainda os traços autoritários da magistratura, identificados por Adorno como indícios de personalidade potencialmente fascista.

Edson Teles reflete sobre a militarização da política e da vida, tão evidente sobretudo depois do *impeachment* da presidenta Dilma Rousseff, e sobre a dinâmica de produção da dualidade "inimigo interno" *versus* "cidadão de bem" a partir de uma arquitetura estatal e uma sociedade racistas, patriarcais e genocidas, instrumentalizando o medo como tecnologia de controle.

Do Poder Judiciário e da militarização da vida pública vamos até a economia. Pedro Rossi e Esther Dweck caracterizam o discurso da austeridade como contraproducente e seletivo, que impõe sacrifícios à parcela mais vulnerável da população. Destacam alguns mitos, como o da metáfora do orçamento doméstico (administrar o Estado como uma família administra a casa). Por trás da retórica da austeridade há um enorme benefício para o capital, que aumenta suas margens de lucro, corta gastos, reduz as obrigações sociais do Estado e estimula a privatização dos serviços públicos.

Márcio Moretto conduz-nos a uma dimensão de vital importância para as direitas na atualidade: as redes sociais e como estas organizam o debate político, apresentando a cartografia do recorte do Facebook político brasileiro atual em dois polos, antipetista e anti-antipetista, numa estrutura altamente polarizada, para apresentar depois a composição interna do polo antipetista como conjunção dos *clusters* policial, patriota ou anticorrupção, liberal-conservador e central.

Já o pastor Henrique Vieira alerta-nos como o fundamentalismo religioso constitui um risco para a democracia e para a garantia dos direitos humanos, mostrando de que forma a palavra bíblica, tratada como absoluta e esvaziada historicamente, tem alimentado a culpa, o medo e a intolerância. Vieira também aponta para o extremismo religioso: fundamentalismo radicalizado em ações truculentas e em projetos de poder como a Frente Parlamentar Evangélica. Práticas e narrativas protofascistas, eminentemente não cristãs, inimigas do que ele denomina "a beleza revolucionária da Bíblia".

Como continuação desta argumentação sobre os perigos do discurso da moral e os bons costumes, Lucas Bulgarelli analisa a oposição aos direitos LGBTI nos últimos anos, resultante das alianças entre políticos conservadores, deputados católicos e evangélicos, sobretudo em partidos de centro-direita e de direita, e a partir da ideia de uma sexualidade que mobiliza os conceitos de "família" e "valores cristãos", supostamente ameaçados pela "ideologia de gênero", numa clara agenda anti-LGBTI na política brasileira.

E, como não podíamos deixar de falar dos ataques destas direitas fundamentalistas às mulheres, Stephanie Ribeiro apresenta as ameaças da retórica antifeminista no ideal de mulher submissa "bela, recatada e do lar", chamando a atenção para a necessidade de um feminismo interseccional onde se entendam raça e gênero como estruturantes da ordem social. Em seu texto, lembra dois atos de violência, trágicos e atuais contra duas mulheres que tiveram suas trajetórias políticas interrompidas: o golpe contra Dilma Rousseff e o assassinato de Marielle Franco. Porque o patriarcado branco não quer a mulher no lugar político, e muito menos a mulher negra, impedindo, portanto, a cidadania plena para as mulheres no Brasil.

Finalmente, para fechar nosso livro, Fernando Penna reflete sobre o caráter reacionário do projeto Escola sem Partido, uma grave ameaça à educação brasileira ao fomentar o pânico moral e o ódio ao pensamento livre e à figura do professor. Penna nos lembra de que, para além da transformação desta ideia nefasta em projetos de lei, criou-se um clima de perseguição inquisitorial em muitas escolas brasileiras sob o lema de um suposto pensamento neutro.

O ano 2018 não está sendo trivial para Brasil. Passamos pelo trauma do golpe, pelos excessos lavajatistas, pelos horrores do governo Temer e por um período eleitoral turbulento. O silêncio não é mais uma possibilidade. A incapacidade de entender os acontecimentos tampouco. A democracia está em jogo. Esperamos que este livro ajude o pensamento crítico e político que as forças antidemocráticas tanto se empenham em combater.

A reemergência da direita brasileira
Luis Felipe Miguel

Que o título deste texto não induza à confusão: a direita nunca esteve ausente da política brasileira[1]. Falo de *reemergência* para assinalar a visibilidade e a relevância crescentes de grupos que assumem sem rodeios um discurso conservador ou reacionário. Foi um fenômeno que, não por acaso, ocorreu ao longo do ciclo de governos petistas.

A tática do PT no poder, de evitar confrontos, acomodou por longo tempo a fatia majoritária da classe política brasileira, cujo único programa é a obtenção de vantagens para si mesma. Acostumada a lidar com governantes de trajetória mais conservadora, ela muitas vezes teve atritos com os petistas. Suspeitava que seu programa apontava para transformações sociais que terminariam por prejudicá-la. Também estranhava os novos ocupantes do poder, que não faziam parte de suas rodas. Lula, com o traquejo de décadas

---

[1] Este capítulo faz parte da pesquisa "Democracia representativa e ruptura institucional: da teoria ao Brasil", apoiada pelo CNPq com uma bolsa de Produtividade em Pesquisa. Excertos do texto recuperam partes dos artigos "Da 'doutrinação marxista' à 'ideologia de gênero'", *Direito e Práxis*, n. 15, 2016, p. 590-621; e "Une criminalisation de l'éducation au Brésil?", *Brésil(s)*, n. 14, no prelo.

de experiência como chefe político, contornou tal incômodo, mas com Dilma Rousseff ele gerou ressentimentos que desempenhariam algum papel no processo de *impeachment* que a derrubou. Ainda assim, para este setor, a lógica dominante sempre foi se acertar com quem está no governo, para não correr o risco de perder suas benesses.

Outros setores não estavam disponíveis para acomodação tão fácil. Aqueles que almejavam ocupar o centro do poder não se resignaram a posições secundárias no governo de outros: as lideranças do PSDB se moveram naturalmente para a oposição. Além delas, havia grupos próximos à extremidade direita do espectro político, para os quais mesmo toda a moderação do PT era insuficiente para gerar possibilidade de diálogo. Eram anticomunistas renitentes, nostálgicos da ditadura militar, alguns fundamentalistas religiosos e uns poucos liberais econômicos extremistas, cuja defesa de um Estado ultramínimo os fazia recusar, por princípio, qualquer forma de política social e para quem o petismo, por mais moderado que fosse, continuava perigosamente intervencionista.

Extremistas e tucanos formavam dois grupos distintos. O PSDB nasceu com o objetivo de agrupar a franja mais esclarecida das elites brasileiras. O termo "social-democracia" no nome da sigla nunca representou mais do que uma fantasia, mas o partido buscava encarnar um projeto civilizador, que idealmente aproximaria o Brasil das democracias capitalistas avançadas. Criado em meio à Assembleia Nacional Constituinte, apresentava-se como reação à degradação oportunista do PMDB e buscava o resgate do projeto centrista original que unificara a oposição à ditadura.

É verdade que em seguida houve um deslocamento contínuo para a direita. Mas o partido mantinha o discurso, ainda que a prática muitas vezes o contradissesse, dos direitos humanos, das liberdades democráticas e da justiça social. Foi ao longo das gestões petistas que a desidratação eleitoral ou capitulação de seus parceiros tradicionais, que se bandearam para os novos ocupantes do poder, levaram o PSDB a se aproximar da direita ideológica. Foi o cálculo político que fez com que ele assumisse o discurso mais atrasado e fizesse, por exemplo, da oposição ao direito ao aborto um carro-chefe da campanha presidencial de 2010 ou da redução da maioridade penal uma de suas bandeiras principais em 2014. Entre os fundadores do partido, um conservador típico como Geraldo Alckmin representava uma exceção. Hoje, ele até passa por moderado.

Os três eixos da extrema-direita brasileira

Os anos petistas testemunharam, assim, dois fenômenos paralelos: o PSDB entendeu que seu caminho era liderar a direita, e a direita entendeu que havia espaço para radicalizar seu discurso. Mas o uso de *direita*, no singular, precisa ser relativizado. O que existe hoje é a confluência de grupos diversos, cuja união é sobretudo pragmática e motivada pela percepção de um inimigo comum. Os setores mais extremados incluem três vertentes principais, que são o libertarianismo, o fundamentalismo religioso e a reciclagem do antigo anticomunismo.

A ideologia libertariana, descendente da chamada "escola econômica austríaca" e influente em meios acadêmicos e ativistas dos Estados Unidos, prega o menor Estado possível e afirma que qualquer situação que nasça de mecanismos de mercado é justa por definição, por mais desigual que possa parecer. É rotulada de ultraliberal, mas sua relação com o liberalismo clássico é tensa. O libertarianismo começa e termina no dogma da santidade dos contratos "livremente" estabelecidos, reduz todos os direitos ao direito de propriedade e tem ojeriza por qualquer laço de solidariedade social. Para liberais de feição mais canônica, não seria uma doutrina liberal e sim neofeudal: "Como o feudalismo, o libertarianismo concebe o poder político justificado como baseado numa rede de contratos privados"[2].

A "liberdade" brilha como o valor central das organizações libertarianas. Seus porta-vozes se esforçam para radicalizar temas que já estão presentes, de forma mais matizada, na tradição liberal do século XVIII em diante: a oposição imanente entre liberdade e igualdade, a igualdade como ameaça à liberdade. Esta suposta oposição se torna equivalente à distinção entre a esquerda, defensora da igualdade, e a direita, que veste as cores da liberdade. O Estado, agente caracterizado pela capacidade de impor coercitivamente suas decisões, é o oposto do mercado, terreno das trocas voluntárias e "livre", onde se realiza a "liberdade econômica". Fica adensada a separação entre política e economia, que é um ponto cego da doutrina liberal, desde seus primórdios. Estado, esquerda, coerção e igualdade compõem um universo de sentido, enquanto liberdade, mercado e direita formam outro.

Esta conceituação de "liberdade", que se resume à ausência de interferência externa, é apresentada como evidente, dispensando qualquer

---

[2] Samuel Freeman, "Illiberal Libertarians", *Philosophy & Public Affairs*, v. 30, n. 2, 2002, p. 120.

problematização. São silenciadas tradições filosóficas diferentes, que não operam com a dicotomia liberdade/igualdade, mas com as dicotomias liberdade/dominação (em que o problema central não é a interferência externa à ação individual, mas seu eventual caráter arbitrário) ou liberdade/necessidade (que introduz o problema da privação material como obstáculo ao exercício da autonomia humana). Para estas tradições, a igualdade não é inimiga da liberdade. Pelo contrário, a igualdade de influência política e a igualdade de recursos seriam a base necessária para a liberdade de todos; sem elas, "liberdade" pode se configurar numa bandeira que não apenas é vazia de sentido como também serve para encobrir múltiplas formas de opressão.

É razoável imaginar que a doutrina libertariana tem pouco potencial para se tornar popular. Por mais que a ideia de o Estado ser ineficiente tenha se disseminado junto com a ideologia da superioridade do mercado, permanece enraizada a compreensão de que algumas obrigações são coletivas. Uma pesquisa realizada entre participantes das manifestações pelo *impeachment* de Dilma Rousseff – isto é, integrantes da base social da direita brasileira –, mostrou que a concordância com a ideia de que educação e saúde devem ser públicas e gratuitas superava a casa dos 95% dos entrevistados[3]. O foco, assim, está dirigido sobretudo a formadores de opinião, gestores públicos e dirigentes empresariais. Fornecendo um programa máximo que se sabe que não será alcançado, os libertarianos pressionam o Estado a restringir sua ação reguladora.

O libertarianismo original, por sua convicção de que a autonomia individual deve ser sempre respeitada, levaria a posições avançadas em questões como consumo de drogas, direitos reprodutivos e liberdade sexual. Mesmo nos Estados Unidos, porém, tais posições tendem a estar mais presentes em textos dogmáticos do que na ação política dos simpatizantes da doutrina. Seus principais aliados são cristãos fundamentalistas, e o discurso costuma apresentar o reforço da família tradicional como compensação para a demissão do Estado das tarefas de proteção social – Estado que é o inimigo comum, seja por regular as relações econômicas, seja por reduzir a autoridade patriarcal ao determinar a proteção aos direitos dos outros integrantes do núcleo familiar. Aliança similar ocorre no Brasil, em que o ultraliberalismo faz frente unida com o conservadorismo cristão.

O fundamentalismo religioso tornou-se uma força política no Brasil a partir dos anos 1990, com o investimento das igrejas neopentecostais em prol

---

[3] Pablo Ortellado e Esther Solano, "Nova direita nas ruas?", *Perseu*, n. 11, 2016, p. 177.

da eleição de seus pastores[4]. Por vezes se fala na "bancada evangélica", mas a expressão ignora diferenças entre as denominações protestantes, invisibiliza o setor minoritário, mas não inexistente, de evangélicos com visão mais progressista e, sobretudo, deixa de lado a importante presença do setor mais conservador da Igreja católica no Congresso, não por meio de sacerdotes, mas de leigos engajados.

O fundamentalismo se define pela percepção de que há uma verdade revelada que anula qualquer possibilidade de debate. Ativos na oposição ao direito ao aborto, a compreensões inclusivas da entidade familiar e a políticas de combate à homofobia, entre outros temas, os parlamentares fundamentalistas se aliam a diferentes forças conservadoras no Congresso, numa ação conjunta que fortalece a todos. Fora do Congresso, pastores com atuação política e forte presença nas redes sociais, como Silas Malafaia, dão voz à sua pauta.

A menção a Malafaia é útil para indicar que o fundamentalismo não significa necessariamente fanatismo. É um discurso utilizado de acordo com o senso de oportunidade de seus líderes: contribui para manter o rebanho disciplinado, imuniza-o diante de discursos contraditórios e fornece aos chefes um capital importante, isto é, uma base popular, com o qual eles negociam[5]. O controle de emissoras de rádio e televisão completa o quadro. Os líderes religiosos desempenham o papel de novos coronéis da política brasileira.

O PT entendeu esse quadro e se esforçou para criar pontes com as organizações religiosas, em alguns casos com sucesso. A Igreja Universal, que dizia – literalmente – que Lula era um emissário de Satanás, passou a apoiá-lo. Foi recompensada com espaços no governo, até mesmo ministérios, e incentivos para o crescimento de sua emissora de televisão, a Record. Outros grupos, porém, permaneceram na oposição, subindo o tom das denúncias contra as administrações petistas. A ênfase na "agenda moral" conservadora aparecia como caminho para que a direita reconquistasse ao menos uma parte da base social que perdera com as políticas de combate à miséria associadas ao PT.

---

[4] Maria das Dores Campos Machado, *Política e religião* (Rio de Janeiro, Editora FGV, 2006).

[5] No Congresso, a utilização de argumentos abertamente religiosos em debates sobre aborto ou família tem diminuído, o que pode ser entendido como uma resposta estratégica aos reclamos pela proteção à laicidade do Estado. Ver Luis Felipe Miguel, Flávia Biroli e Rayani Mariano, "O direito ao aborto no debate legislativo brasileiro", *Opinião Pública*, v. 23, n. 1, 2017, p. 230-60.

Tal ambiguidade favoreceu aqueles que vendiam apoio ao governo, valorizando seu passe. Como sua vinculação à agenda conservadora nunca foi minorada, era um apoio que exigia que fossem refreadas iniciativas para a extensão de direitos. E, na hora em que o governo Dilma começou a ruir, eles não tiveram dificuldade para mudar de lado e engrossar as fileiras do golpe.

A terceira vertente da direita radical recicla o anticomunismo, que parecia ultrapassado com o fim da Guerra Fria, mas ganhou nova roupagem na América Latina e no Brasil: a ameaça passou a ser o "bolivarianismo" venezuelano. A despeito do centrismo crescente de seu discurso e de suas práticas moderadas quando esteve no governo, o PT veio a ser apresentado como a encarnação do comunismo do Brasil, gerando uma notável sobreposição entre anticomunismo e antipetismo.

As três correntes não são estanques. Há um caminho, em particular, de fusão do anticomunismo com o reacionarismo moral, que passa por uma leitura fantasiosa da obra de Antonio Gramsci e recebe o nome de "marxismo cultural". A noção de que a luta política tem, como momento central, a disputa por projetos e visões de mundo, torna-se, nas mãos de seus detratores à direita, uma estratégia maquiavélica simplória, com o objetivo de solapar os consensos que permitem o funcionamento da sociedade, por meio da manipulação das mentes. Gramsci é apresentado como alguém que bolou um "plano infalível" para a vitória do comunismo: é o Cebolinha do pensamento marxista.

Por essa leitura, um passo fundamental para a derrubada do capitalismo e da "civilização ocidental" seria a dissolução da moral sexual convencional e da estrutura familiar tradicional. Afinal, "a família é a *cellula mater* da sociedade"; se destruída, faz todo o edifício romper. Daí deriva que, na interpretação difundida por uma das referências intelectuais da direita brasileira, o filósofo e astrólogo Olavo de Carvalho, a estratégia gramsciana é "apagar da mentalidade popular, e sobretudo do fundo inconsciente do senso comum, toda a herança moral e cultural da humanidade"[6]. O mesmo tipo de raciocínio é exposto por parlamentares da extrema-direita, como maneira de sustentar sua oposição a qualquer iniciativa para reduzir as desigualdades de gênero[7], e chega às redes sociais na forma de denúncias contra a "ditadura comunista *gay*" em formação.

---

[6] Olavo de Carvalho, *A nova era e a revolução cultural* (Campinas, Vide Editorial, 2014), cap. 2.

[7] Luis Felipe Miguel, "Da 'doutrinação marxista' à 'ideologia de gênero'", *Direito e Práxis*, n. 15, 2016.

O reenquadramento do debate

Graças à visibilidade que obteve, fruto tanto de uma utilização competente das novas ferramentas tecnológicas quanto pelo espaço concedido nos meios de comunicação tradicionais, a direita extremada, em suas diferentes vertentes, contribuiu para redefinir os termos do debate público no Brasil, destruindo consensos que pareciam assentados desde o final da ditadura militar. Ainda que aparecessem vozes dissidentes e que os compromissos muitas vezes fossem apenas de fachada, o discurso político aceitável incluía a democracia, o respeito aos direitos humanos e o combate à desigualdade social. De maneira mais geral, a partir da Constituição de 1988, a disputa política no Brasil ocorria num terreno demarcado pelo discurso dos direitos, que se tornara amplamente hegemônico. A mobilização da direita rompeu com isso.

Denúncias da incompetência, ignorância ou venalidade do eleitorado mais pobre, que se tornaram correntes após a reeleição de Lula, desaguaram na defesa aberta do desrespeito aos resultados eleitorais quando eles desafiavam uma suposta racionalidade superior. O discurso de que os direitos humanos "protegem bandidos" deixou de ser exclusividade das margens do campo político, em particular graças à campanha pela redução da maioridade penal. E as críticas pontuais aos programas sociais, que estimulariam a preguiça e desencorajariam o esforço próprio, ganharam corpo como um discurso meritocrático que apresentava a desigualdade como a retribuição justa às diferenças entre os indivíduos.

Colaboram para este resultado diversas inflexões nas visões de mundo predominantes em diferentes espaços sociais. Uma parte importante da pregação das igrejas cristãs abandonou o registro da caridade ou da frugalidade em favor da "teologia da prosperidade", em que a fé é um investimento a ser retribuído por Deus na forma de vantagens materiais. Entre os trabalhadores, o declínio da atividade sindical foi acompanhado pela penetração do discurso do "empreendedorismo", feito sob medida para dissolver a solidariedade de classe. O trabalhador – em particular o trabalhador precarizado, despido de vínculo empregatício – é instado a ver em si mesmo um capitalista em formação. A opção preferencial dos governos petistas pela inclusão por meio do acesso ao consumo, isto é, como mobilidade social individual, certamente contribuiu para permitir a penetração desta visão de mundo.

O discurso renovado da meritocracia veio a calhar sobretudo para as classes médias, que se viam às voltas com seu eterno receio de perder a diferença em relação aos mais pobres. Trata-se de algo que é mais profundo do que o chavão usado por alguns setores da esquerda, de que a classe média está chateada com os "aeroportos lotados de pobres". Esse sentimento decerto existe e não é necessariamente irrelevante – no século passado, Ortega y Gasset começou seu *A rebelião das massas*, logo tornado um clássico do pensamento elitista, deplorando "o fato das aglomerações"[8]. Mas os efeitos simbólicos e materiais da redução das distâncias sociais não se esgotam nisso. A busca da distinção social é um componente central da dinâmica das sociedades contemporâneas, e o acesso ao consumo é uma das principais formas pelas quais essa distinção se manifesta. O efeito "simbólico" é um efeito sobre a percepção da própria posição na hierarquia social e, portanto, do sucesso ou fracasso como indivíduo.

Os efeitos materiais são igualmente palpáveis. A redução da vulnerabilidade dos mais pobres teve impacto inegável no mercado de trabalho, fazendo escassear a mão de obra que estava disponível a preço vil e que beneficiava esta classe média nos serviços domésticos e pessoais (cabeleireira, jardineiro etc.). Uma renda, mesmo que pequena, como a que o Programa Bolsa Família representa, permite uma condição mais favorável para a negociação de contratos de trabalho. Políticas de qualificação profissional e taxas reduzidas de desemprego permitiram que muitas empregadas domésticas migrassem para outras ocupações, uma opção atraente devido não só à possível remuneração maior, mas também à relação laboral mais bem definida e ao maior prestígio social. A extensão dos direitos trabalhistas aos empregados domésticos, ocorrida no governo Dilma Rousseff sob forte oposição das representantes das "patroas", também ampliou o custo da utilização desta mão de obra. O setor de serviços pessoais, por sua vez, vivenciou uma inflação acima do restante da economia, isto é, houve uma ampliação dos proventos, em geral muitos baixos, daqueles que os oferecem.

A democratização do acesso ao ensino superior, que os governos do PT promoveram por meio da expansão da rede de universidades federais, da implantação de cotas sociais e raciais para o ingresso nelas e também por uma enorme ampliação do crédito para estudantes de faculdades privadas, impactou negativamente a classe média. Uma das vantagens comparativas que ela imaginava legar para seus filhos – o "diploma" – corria o risco de deixar de ser tão exclusiva.

A má vontade da classe média foi canalizada, em primeiro lugar, para a repulsa à corrupção. Houve, sem dúvida, frustração autêntica gerada pela

---

[8] José Ortega y Gasset, *A rebelião das massas* (São Paulo, Martins Fontes, 1987), p. 35. A edição original é de 1937.

descoberta que a probidade petista estava muito longe daquilo que o partido alardeava. Mas a narrativa da *decadência moral*, por relevante que seja, não explica o desdobramento, que é a singularização do PT como único responsável pelos desvios éticos na política brasileira. Forma-se um nexo importante entre a percepção da corrupção petista e o preconceito de classe. De 2006 em diante, após cada eleição presidencial os analistas se debruçavam sobre os mapas de votação para constatar que a vantagem eleitoral do PT provinha das regiões mais pobres do país, em particular do Nordeste. Seria sintoma de que o eleitorado pobre era desinformado ou, pior, carente de ética, disposto a votar em "ladrões" desde que eles lhe oferecessem ganhos, como os programas de garantia de renda[9].

A revolta contra a corrupção é marcada pela seletividade, mas também pelo maniqueísmo. A corrupção não é entendida como um produto das relações do poder político com o poder econômico, mas como um desvio de pessoas sem caráter. A resposta a ela exige sobretudo a punição mais efetiva dos culpados. Uma análise dos grandes jornais durante a crise do mensalão revelou que eles "podem ter sido 'incendiários' na conjuntura, mas adotaram antes a postura de 'bombeiros' em relação a possíveis questionamentos de longo alcance do sistema político"[10]. O veredito permanece válido para os escândalos posteriores. Seletividade e maniqueísmo marcaram não só a mentalidade da classe média, mas também a cobertura jornalística e a ação do aparelho repressivo de Estado.

Reportagens em jornais e redes de televisão, processos judiciais, investigações policiais e boatos gerados na internet retroalimentaram-se, gerando uma nuvem de informações verdadeiras, duvidosas ou indubitavelmente falsas que estigmatizava o PT – e, por consequência, toda a esquerda – como encarnação da desonestidade e do mal. Entre os rumores mais absurdos fabricados e disseminados na internet e a cobertura tendenciosa de jornais e emissoras de televisão não há uma fronteira e sim um *continuum*. A maior parte da mídia convencional não dava guarida aos boatos mais risíveis, embora alguns deles pudessem aparecer em veículos marginais que abandonaram a pretensão de

---

[9] É comum se exigir do eleitorado pobre um altruísmo que não se espera dos ricos. Quando um empresário define seu voto de acordo com a expectativa de vantagens fiscais, é um modelo de eleitor racional. O eleitor pobre que espera políticas compensatórias ou mesmo que vende seu voto é desprovido de espírito cívico. Para uma discussão, cf. Luis Felipe Miguel, *Consenso e conflito na democracia contemporânea* (São Paulo, Editora Unesp, 2017), cap. 3.

[10] Luis Felipe Miguel e Aline de Almeida Coutinho, "A crise e suas fronteiras", *Opinião Pública*, v. 13, n. 1, p. 121.

credibilidade (como a revista *IstoÉ*). Mas o noticiário enviesado fomentava a visão maniqueísta do público e, assim, consolidava o ambiente mental que permitia que mesmo as falsificações mais disparatadas ganhassem foros de verdade. Assim, as pesquisas realizadas nas passeatas pelo *impeachment* de Dilma mostraram que a maioria dos presentes concordava com afirmações como as de que o filho de Lula era o proprietário da Friboi, de que a facção criminosa Primeiro Comando da Capital era o braço armado do PT ou de que os governos petistas trouxeram milhares de haitianos para fraudar as eleições no Brasil[11].

Este anedotário é revelador do grau de irracionalidade do debate político atual. Ainda mais grave, porém, é o fato de que a paulatina ampliação do politicamente dizível, com a emergência do discurso contrário à solidariedade social propagado pela extrema-direita, permitiu que uma fatia importante das classes médias assumisse de forma clara seu desconforto com a redução da distância que a separava dos pobres. As grandes manifestações pelo *impeachment*, em 2015 e 2016, tiveram entre seus eixos discursivos a defesa da "meritocracia", a denúncia dos "vagabundos" e o saudosismo manifestado em frases como "eu quero meu país de volta" – todas formas de expressão de repulsa pelos programas de inclusão social. (A pesquisa entre manifestantes paulistas, já citada, indica forte rejeição às cotas raciais nas universidades e concordância com a ideia de que o Programa Bolsa Família "só financia preguiçoso".) Desde o início, estes conteúdos foram centrais no discurso das lideranças das mobilizações, tanto entre os movimentos de proveta quanto entre os jornalistas da televisão. A possibilidade de mobilização política deste desconforto com a igualdade dependeu de um trabalho prévio de demolição da noção de solidariedade social que fundamentava o consenso, existente ao menos da boca para fora, sobre a necessidade de construir um Brasil mais justo. Este foi o grande trabalho ideológico da direita nos últimos tempos.

---

[11] Eu me reporto aqui à "Pesquisa com os participantes da manifestação do dia 12 de abril de 2015 sobre confiança no sistema político e fontes de informação", coordenada por Esther Solano e Pablo Ortellado e disponível no endereço https://gpopai.usp.br/pesquisa/120415/ (acesso em 3 fev. 2017).

Neoconservadorismo e liberalismo
Silvio Luiz de Almeida

Ainda que o grande interesse pelo neoconservadorismo tenha adquirido força após a eleição de governos declaradamente alinhados a ideias conservadoras na Europa e nos EUA, o certo é que o contexto da ascensão desta ideologia é mais complexo que a resultante dos pleitos eleitorais que levaram ao poder Ronald Reagan, Margareth Thatcher e, mais recentemente, Donald Trump.

A ideologia neoconservadora possui muitos matizes que se manifestam em uma profusão de autores e diferentes concepções. Primeiro há de se distinguir o *conservadorismo*, que podemos chamar de "clássico", do *neoconservadorismo*, manifestação bem mais recente surgida em reação às transformações socioeconômicas da primeira metade do século XX. As origens do conservadorismo clássico podem ser encontradas no século XVIII, com destaque para as obras de Edmund Burke, Joseph de Maistre e Louis de Bonald. Esses autores têm em comum essencialmente a defesa de valores e instituições tradicionais diante da ameaça trazida pelas revoluções liberais – no caso, as revoluções americana e francesa.

A ideia central era "conservar" valores e instituições – como a monarquia e a religião cristã – considerados como pilares fundamentais da civilização e da cultura ocidentais. No século XIX, o surgimento da sociedade industrial daria à ideologia conservadora um tom de oposição ao racionalismo e ao cientificismo, bem como ao fim da vida tradicional e hierarquizada, ameaçada pelas reivindicações por democracia. Pode-se observar também na versão contemporânea do conservadorismo uma defesa das elites, consideradas por muitos como mais aptas ao exercício do governo.

Já o neoconservadorismo estrutura-se como reação ao *Welfare State* [Estado do bem-estar social], à contracultura e à nova esquerda, fenômenos atrelados ao pós-Segunda Guerra Mundial e ao advento do regime de acumulação fordista. Para os neoconservadores, a crise econômica que atingiu o capitalismo no final dos anos 1960 era antes de tudo uma crise moral, ocasionada pelo abandono dos valores tradicionais que governam a sociedade desde os primórdios da civilização, feito em nome de um igualitarismo artificialmente criado pela intervenção estatal. A crise, conforme esta leitura de mundo, não era do *Welfare State*; para os novos conservadores o intervencionismo característico do *Welfare State* era o principal motivo da crise.

Para os neoconservadores, a ruptura com as bases que permitiram a consolidação da sociedade ocidental fez com que fossem apagadas as diferenças naturais existentes entre os indivíduos. Diferenças de classe, entre os sexos e até mesmo as raciais sempre fizeram parte da ordem social; abandonar essas diferenças em prol de uma ilusória "sociedade sem classes" levaria a uma degradação cultural sem precedentes. A prova disso estaria, segundo o pensamento neoconservador, na "infestação" de *hippies*, sindicalistas, estudantes, comunistas, negros e feministas, grupos que ganharam força em razão da permissividade e do assistencialismo estatal. Assim, a pauta neoconservadora é basicamente a de restauração da autoridade da lei, do restabelecimento da ordem e da implantação de um Estado mínimo que não embarace a liberdade individual e a livre iniciativa[1].

Com base nestas considerações iniciais propomos uma observação sobre o significado do neoconservadorismo e sua relação com o liberalismo para além da ideologia que os grupos que defendem uma ou outra posição manifestam. Nossa proposta é que este debate seja feito no campo da economia política, onde a relação entre liberais e conservadores se apresenta histórica e concretamente.

O que liberais e conservadores precisam *realmente* conservar

A sociedade capitalista, em que pesem suas contradições e especificidades, possui algumas relações que devem ser necessariamente *conservadas*, a

---

[1] Russell Kirk, *The Conservative Mind: From Burke to Eliot* (Washington, D.C., Regnery, 2001); Roger Scruton, *Como ser um conservador* (São Paulo, Record, 2015).

fim de que o capitalismo possa se reproduzir. Essas relações características da sociedade capitalista são as *formas sociais*. Portanto, as formas sociais básicas do capitalismo são a *forma mercadoria*, a *forma dinheiro*, a *forma Estado* e a *forma jurídica*[2].

A sociabilidade básica do capitalismo se manifesta pela troca generalizada de mercadorias, que têm como equivalente geral o dinheiro. Nessas condições, é essencial que os portadores de mercadoria sejam considerados livres e iguais no momento da troca mercantil. A liberdade e a igualdade são condições primordiais da troca mercantil, de tal sorte que todo portador de mercadoria deve ser, necessariamente, um *sujeito de direito*. Ora, ser sujeito de direito nada mais é do que apresentar-se como livre e igual quando da relação mercantil, nada tendo a ver com respeito à dignidade ou com necessidades materiais assistidas. A condição de sujeito de direito, a equivalência geral do dinheiro e a propriedade das mercadorias são protegidas por um poder político centralizado, que mantém a ordem social mediante o uso sistemático da força e/ou pela criação de consensos de natureza ideológica acerca do funcionamento da sociedade. O Estado é esse poder[3].

O que se depreende daí é que o Estado sempre será, de um jeito ou de outro, uma força conservadora, na medida em que precisa atuar na preservação das formas sociais básicas do capitalismo.

A defesa do Estado de direito como defesa da legalidade é, no fundo, uma reivindicação conservadora, uma vez que a legalidade é uma das manifestações mais específicas da sociedade capitalista. Certamente que é possível compreender que, em um contexto de Estado policial e de repressão, a defesa da legalidade se torne um fator de vida ou morte para determinados grupos e indivíduos. Mas é importante que se tenha em mente que o Estado capitalista é aquele que se desprende do poder pessoal e que tem como base a legalidade. A legalidade só é uma pauta tida como progressista em momentos de crise da sociedade capitalista em que o Estado, para preservar a ordem de reprodução do capital, precisa ignorar os limites estabelecidos pela lei, configurando-se o estado de exceção.

Nesse sentido, a crise do capitalismo não deve ser compreendida como violência social, insurgência popular, pobreza ou ilegalidade; tais fenômenos são inerentes ao capitalismo, mesmo em períodos de estabilidade. A

---

[2] Eviguiêni Pachukanis, *Teoria geral do direito e marxismo* (São Paulo, Boitempo, 2015).
[3] Joachim Hirsch, "Teoria materialista do Estado", *Margem Esquerda*, São Paulo, Boitempo, n. 30, 1º sem. 2018; Alysson Mascaro, *Estado e forma política* (São Paulo, Boitempo, 2015).

disfuncionalidade que caracteriza a crise do capitalismo diz respeito à incapacidade de um determinado arranjo social da produção capitalista de manter os níveis de extração do mais-valor diante da queda na taxa de lucro e, ao mesmo tempo, manter sob controle os conflitos e os antagonismos sociais. Crise, portanto, refere-se aos mecanismos estruturais de exploração do trabalho, de circulação mercantil e de concorrência.

Em momentos de crise, em que é preciso "conservar o que concretamente deve ser conservado", os liberais podem se tornar *reacionários*. Alfredo Bosi, ao analisar a formação social brasileira em *Dialética da colonização*, chama de falso impasse a dicotomia entre liberalismo e escravidão[4], lembrando como os liberais brasileiros entendiam a noção de liberdade como conservação da liberdade: conservação da liberdade para o comércio, conquistada em 1808; conservação da liberdade para o voto, advinda de 1822; conservação da liberdade para obter terra em regime de concorrência, conforme o estatuto da terra de 1850; e, por fim, a conservação da liberdade para "submeter o escravo ao trabalho sob coação jurídica"[5]. Já Domenico Losurdo em *A contra-história do liberalismo*, ressalta as contradições existentes no discurso liberal, que afirmava a liberdade universal, mas que, em muitas ocasiões, posicionava-se contra a libertação dos escravos[6].

Ainda que a sociedade capitalista se estruture a partir de formas sociais que lhe são próprias, há uma série de conflitos e antagonismos que fazem da relação entre neoconservadores e liberais algo muito mais complexo do que posições relativas a questões morais. Mesmo entre os grupos que formam sua base de valores a partir da defesa da sociabilidade capitalista, há inúmeros conflitos e antagonismos que redundam, muitas vezes, na disputa pelo poder institucional. Isso explica por que em certas conjunturas liberais, socialistas e até comunistas sejam todos classificados como "de esquerda" e se unam na defesa da democracia e do Estado de direito. Ora, para esses grupos defender a democracia ou o Estado de direito é mais um modo de preservar a vida de seus membros, garantir a própria existência ou posicionar-se na luta institucional e menos colocar-se na defesa de valores abstratos e universais.

Do ponto de vista teórico, a complexidade e a dinâmica das lutas pelo poder na sociedade capitalista podem ser explicadas pela concepção de *hegemonia*. As crises do capitalismo podem instaurar uma crise de hegemonia e fazer

---

[4] Alfredo Bosi, *Dialética da colonização* (São Paulo, Companhia das Letras, 1992), p. 199-200.
[5] Ibidem, p. 200.
[6] Domenico Losurdo, *A contra-história do liberalismo* (São Paulo, Ideias & Letras, 2006).

com que diferentes grupos representantes de frações do capital e igualmente comprometidos com a conservação das formas sociais capitalistas, sob alcunha de liberais ou conservadores, travem uma luta pelo poder das instituições, especialmente do Estado.

A verdade é que tanto os neoconservadores como os neoliberais de esquerda são duas faces da mesma moeda: a crise do *Welfare State* e o surgimento do regime de acumulação pós-fordista.

A democracia é só um detalhe

Vimos anteriormente que a defesa da legalidade não é necessariamente a defesa das minorias, tampouco o libelo pela preservação da vida, mas da proteção à subjetividade jurídica no que esta tem de essencial à troca mercantil. As maiores violências da história, os grandes massacres, os piores genocídios tiveram a participação ativa ou a conivência pacífica do Estado e de seus agentes.

Não houve na história golpe de Estado ou ditadura que não tenha tido a participação direta ou indireta do Poder Judiciário, do Ministério Público e até de advogados, quando não de suas corporações. O que importa nesses momentos é a preservação das formas sociais, sendo todo o resto formado por questões circunstanciais que refletem o estágio das forças em conflito em cada tempo histórico.

Neste sentido, a democracia e a cidadania são elementos importantes na medida em que denotam a estabilidade do sistema e a capacidade do Estado e das demais instituições a ele relacionadas de manter os conflitos e antagonismos que são inerentes à sociabilidade capitalista sob controle. A democracia, expressa pela ampla possibilidade de participação nas decisões políticas e a cidadania, a garantia de direitos individuais, sociais e econômicos são elementos caros ao processo de reprodução capitalista, pois reforçam a ideia de unidade e de coesão social.

Entretanto, nos períodos de crise, cuja característica fundamental é a impossibilidade de manter sob controle ideológico e político as contradições inerentes ao capitalismo, a democracia e a cidadania poderão e serão ultrapassadas pela necessidade de conservar as formas sociais, o que pode ser dar de maneira episódica ou sistemática.

Episódica quando, diante de ameaças pontuais à ordem, um governo democrático se vale da violência e de outros procedimentos ilegais para manter o controle social. Isso explica por que até mesmo governos progressistas ou de esquerda não abrem mão do uso da força, ocupações de território, invasões domiciliares, prisões arbitrárias ou remoções ilegais. *Sistemática* quando um governo abre mão de seu verniz democrático e passa a estabelecer a violência de Estado como procedimento padrão de manutenção da ordem.

Diante disso, podemos concluir que a democracia não é nem nunca foi um valor universal. Como nos ensina Achille Mbembe, o avanço do projeto neoliberal instaura o que ele chama de "devir negro no mundo"[7], circunstância em que toda a violência e toda a violação de direitos que antes eram tidas como "coisa de negro" tornam-se o padrão de tratamento para todos os trabalhadores do mundo. No mesmo sentido, Christian Laval e Pierre Dardot alertam, em *A nova razão do mundo*, para o fato de que o neoliberalismo exige um processo de *desdemocratização*, ou seja, uma retirada progressiva da possibilidade de decisões democráticas ou oriundas da maioria de interferir na ordem econômica[8]. Só assim se torna possível o estabelecimento de políticas de austeridade e de retirada de direitos sociais.

Eis a virada hegemônica neoconservadora. O discurso neoliberal clássico, baseado no universalismo e no multiculturalismo, não é capaz de amparar enquanto ideologia a necessidade de uma prática política brutal de extermínio e de rebaixamento das condições de vida. Só pessoas capazes de articular um discurso de violência contra minorias, de intolerância e de hiperindividualismo podem dar conta de justificar o estágio atual da economia capitalista, e eles o fazem justamente invocando o direito e com o apoio das instituições de repressão do Estado. Portanto, a superação do neoconservadorismo e de suas pautas não se dará apenas com a demonstração da fragilidade dos discursos, mas com a transformação das condições socioeconômicas que lhe fornece a base material.

---

[7] Achille Mbembe, *Crítica da razão negra* (São Paulo, n-1, 2018).

[8] Christian Laval e Pierre Dardot, *A nova razão do mundo* (São Paulo, Boitempo, 2015).

A nova direita e a normalização do nazismo e do fascismo
Carapanã

Brexit. Donald Trump. A extrema-direita governa a Polônia e a Hungria, adotando uma retórica e políticas que contribuem para transformar socialistas, liberais, muçulmanos e imigrantes em inimigos do Estado. Coligações com partidos de extrema-direita governam a Áustria e a Itália, ocupando ministérios e posições estratégicas nesses governos. No Brasil, a corrida presidencial é liderada por um condenado político, que provavelmente será declarado inelegível, seguido de um candidato que elogia torturadores e assassinos e defende o legado dos vinte anos de ditadura militar.

Como chegamos até aqui?

Essa pergunta é aventada em grandes jornais e demais espaços da mídia tradicional e as respostas são muito diferentes. Espaços da mídia liberal dos Estados Unidos, como o *New York Times*, desde 2016 publicam artigos aos "eleitores de Trump" junto com colunas de opinião que por vezes culpam o elitismo e a soberba das "elites liberais" norte-americanas pela ascensão do "populismo de direita". Tais artigos estão focados exclusivamente em questões em torno das políticas identitárias e das chamadas guerras culturais e quase nunca abordam questões como austeridade, precarização do trabalho e o abandono de uma agenda mais ampla de justiça social pelo Partido Democrata.

Uma história semelhante parece se repetir na Europa, onde, após o tatcherismo e a queda do Muro de Berlim, muitos partidos de esquerda moveram suas plataformas rumo ao centro. As direitas nacionalistas europeias ocupam os espaços deixados por partidos socialistas ou comunistas, com políticas que misturam conservadorismo social, nacionalismo étnico e Estado de bem-estar social.

Na América Latina e no Brasil há um cenário de exaustão da Onda Rosa, na qual governos à esquerda, de caráter progressista, estiveram à frente de muitos países da região no início do século. Parte do antipetismo organizado no processo do *impeachment* se radicalizou progressivamente desde 2015, deixando de lado as ilusões de que o Judiciário poderia resolver os problemas do sistema político e passando a apostar nos militares como arautos da ordem – o que naturalmente foi acompanhado de uma defesa de um suposto legado positivo da ditadura militar.

No cenário global fala-se de uma "recessão democrática" na qual populações desencantadas com a democracia liberal das últimas décadas voltam-se para partidos e líderes autoritários de direita. Muito se falou sobre a direita alternativa, a *alt-right*, e como ela foi instrumental para a campanha de Donald Trump em 2016 e também responsável por ajudar na consolidação de uma radicalização do Partido Republicano que começou com o *Tea Party*, um movimento conservador da Era Obama cuja principal agenda seria, supostamente, reduzir as elevadas cargas tributárias dos EUA.

Mais do que um movimento espontâneo, a guinada à direita no cenário global se dá por meio de agentes, gestada em plena luz do dia. Os contextos dos EUA, da Europa e da América Latina são muito diferentes, como também o são os agentes dessa transformação e o tipo de ideologia que eles professam.

No entanto, a atual movimentação política tem muitos pontos em comum, algo definitivamente favorecido pela internet.

Uma nova direita?

Há um aglomerado ideológico mais ou menos coeso que é chamado de nova direita, na qual misturam-se ideais do conservadorismo, do libertarianismo e do reacionarismo. A essas ideias somam-se outras que remetem à apologia do eugenismo e da segregação racial que fazem com que a nova direita flerte, de maneira consciente ou inconsciente, com construtos que remetem ao nazismo e ao fascismo.

Isso não quer dizer que as pessoas que se interessam pelos ideais da nova direita sejam necessariamente simpáticas a ideias de segregação ou supremacia racial, nazistas ou fascistas. O problema, mais complicado, é que essas ideias circulam sem oposição nos meios da nova direita, frequentemente defendidas sob a justificativa da liberdade de expressão.

Uma discussão é o quanto a nova direita seria diferente da "antiga direita" ou seja, a direita que emergiu depois da Segunda Guerra Mundial. É provável que a diferença mais significante entre ambas esteja no fato de que a nova direita recusa a democracia liberal, ou mesmo qualquer forma de democracia. O sistema político ideal parece variar entre um retorno do absolutismo e a "democracia" iliberal desenhada por Viktor Orbán.

E se a base do pensamento da nova direita é o rompimento com os pressupostos da democracia liberal, é natural que se coloque contra muitas conquistas progressistas do século XX: a Declaração Universal dos Direitos Humanos, os direitos trabalhistas, todo o conjunto de direitos da mulher que veio da revolução sexual, instituições políticas multilaterais em nível internacional e, também, o direito universal ao voto e à cidadania plena.

O que oferecemos a seguir é um esboço dessas ideias, sua origem e como elas impactam o atual debate público. Vamos abordar brevemente dois aspectos do pensamento dessa nova direita: o realismo capitalista e sua obsessão com questões culturais.

1. Realismo capitalista e o Estado

Uma direita disposta a tanta ruptura e que usa uma linguagem muitas vezes (contra)revolucionária, transgressora ou insurrecionista poderia ser considerada uma ameaça ou incômodo à ordem estabelecida, ao capitalismo moderno. No entanto, o ataque às instituições e à ordem estabelecida muitas vezes tem como objetivo justamente a remoção de barreiras ao poder corporativo, inspirado na versão anglo-saxã do conservadorismo cultural misturado ao liberalismo econômico.

Se a Escola de Chicago e seus principais nomes foram instrumentais para a criação de um "novo liberalismo", o tão falado neoliberalismo, que se tornou consenso após os governos de Margaret Thatcher e Ronald Reagan na década de 1980, é na Escola Austríaca onde se encontra a raiz das ideias da nova direita a respeito de economia. Embora a Escola Austríaca tenha sido uma forte influência para os economistas da Escola de Chicago e para a economia ortodoxa *mainstream*, a nova direita bebe hoje de seus expoentes mais radicais, como Murray Rothbard e Hans Herman Hoppe[1].

Mas como é possível misturar o libertarianismo da Escola Austríaca ao protecionismo de Donald Trump? Não é simples. A visão econômica da nova direita tem seu principal ponto em comum com os expoentes da Escola Austríaca no ataque ao Estado como provedor de bens e serviços a todos os cidadãos. Steve Bannon, ex-conselheiro de Trump e atual agitador da extrema direita europeia, define-se como um "nacionalista econômico" mas, ao mesmo tempo, diz que seu principal objetivo é seria o "desmonte do Estado administrativo". Seu maior benfeitor, o investidor Robert Mercer, é conhecido por achar que seres humanos têm valor equivalente à riqueza que produzem.

O Estado que deve ser atacado não é aquele das máquinas de guerra, da repressão policial ou do desrespeito aos cidadãos. O Estado a ser desmontado é aquele que, segundo essa visão, concederia direitos demais – ou mesmo quaisquer direitos às pessoas ou grupos "errados". Se o neoliberalismo desmontou o Estado de bem-estar social, a nova direita quer atacar o Estado como ente que garante direitos civis, direitos humanos.

2. A obsessão com questões culturais

"Existe um complô arquitetado por marxistas para acabar com a cultura e a civilização ocidentais. Quando perceberam que não conseguiriam fazer a revolução tomando os meios de produção, os comunistas passaram a usar estratégias culturais para derrubar o capitalismo." Esse é o mote da nova direita quanto à cultura.

E, dependendo de quem divulga a tese resumida acima, variações serão adicionadas: o grande Cavalo de Troia pode ser o influxo de refugiados, a agenda pelos direitos dos homossexuais, os globalistas que administram a ONU, a música pop, o politicamente correto, a Escola de Frankfurt, ou qualquer coisa sobre o filósofo italiano Antonio Gramsci - que ninguém parece ter lido mas aparentemente previu que a grande trincheira da esquerda estaria nos clipes da Pabllo Vittar e nos lacres da Anitta.

Sim. Existe uma esquerda que é preocupada com questões de representação e identidades e ela é vocal e influente justamente porque é uma esquerda

---

[1] Consultar, por exemplo, Hans-Hermann Hoppe, *Democracia: o Deus que falhou* (São Paulo, Instituto Ludwig von Mises, 2014), e Murray Rothbard, *A anatomia do Estado* (São Paulo, Instituto Ludwig von Mises, 2012).

liberal, nascida de movimentos pelos direitos civis, cuja crítica ao capitalismo (quando existe) é, no máximo, reformista. Boa parte das discussões das esquerdas no mundo pós-soviético foi pautada por questões como democracia representativa, meio ambiente, direitos humanos, multiculturalismo, voto, representação e reparação histórica.

Quando falam sobre essa esquerda pós-socialista de verniz liberal estão referindo-se principalmente ao movimento que começou nos Estados Unidos e na Grã-Bretanha, sob Bill Clinton e Tony Blair nos anos 1990 e início do século XXI. Os chamados governos de terceira via adotavam políticas sociais progressistas ao lado de políticas fiscais liberais. Questões identitárias, por sua vez, tornaram-se cada vez menos pautadas em movimentos coletivos e cada vez mais focadas em discussões sobre subjetividade individual.

Na América Latina, os ciclos progressistas foram ligeiramente diferentes, focados em políticas redistributivas e poucas reformas de fato significativas. O fenômeno político mais parecido com as velhas esquerdas em muitas décadas foi o do chavismo (militarista, nacionalista, feito como política de massas) que, entre os muitos descaminhos da Venezuela, logo se tornou a redução a ser evocada diante de qualquer movimento político à esquerda.

Uma vez que o *establishment* financeiro e empresarial abraçou, em alguma medida, esse neoliberalismo progressista, os conservadores precisavam de uma nova narrativa que relacionasse seus adversários à esquerda com os temíveis soviéticos. Conseguiram, com imenso sucesso, vilanizar políticas que envolviam imigrantes e refugiados, homossexuais e minorias étnicas sob o signo de que tudo isso não passaria de uma conspiração "comunista" para erodir a "civilização ocidental" e, junto com ela, o capitalismo.

Esse admirável mundo novo é o que permite a Michel Houellebecq fantasiar sobre a Irmandade Muçulmana vencendo as eleições francesas, mas não conseguir enxergar a reedição de uma distopia diante da escalada de partidos de direita ultranacionalista e neofascista no Velho Continente. É o mundo no qual o brasileiro conservador imagina que Donald Trump, Marine Le Pen, Viktor Orbán ou Andrzej Duda seriam seus campeões por sua suposta "defesa de valores cristãos".

No último Fórum da Liberdade (abril de 2018), um evento que reúne os "liberais" brasileiros, o discurso do então presidenciável Flávio Rocha foi um exemplo perfeito de como se joga esse jogo. Depois de uma enorme parte de seu discurso dedicada aos méritos de uma economia de mercado e ao louvor de seu próprio sucesso empresarial como "criador de riquezas e empregos", Flávio Rocha indicou que as ações de fiscalização de irregularidades em suas fábricas de costura seriam parte de uma "cultura perversa". O mesmo valeria para todos os nossos problemas de segurança pública.

Nesse neomacartismo é impressionante a possibilidade de criar um inimigo a partir... do nada. "Eles estão denegrindo os valores fundamentais da sociedade porque Gramsci disse isso." "Eles, os vagabundos imorais, nós, os produtores de riqueza defensores da ordem." Teve problemas com a lei porque seus trabalhadores estão reclamando? Culpa da cultura estatal que atrasa o Brasil. Problemas de inoperância da polícia investigativa? É culpa de uma "cultura de socialização da responsabilidade". Qualquer coisa, qualquer problema brasileiro é culpa "deles", que "corroem o valores da sociedade".

Citando o próprio Flávio Rocha: "O fantasma que nos assombra diante dessa eleição [de 2018] é o fantasma do marxismo cultural". Mais tarde ele emenda isso com alguma coisa sobre "bagunçar para dominar e erodir a família" e que Antonio Gramsci seria "o mais sórdido dos intelectuais".

A ideia de um "marxismo cultural" como conspiração parece nova, mas começou com a reedição de uma teoria da conspiração da década de 1930: a do bolchevismo cultural. Ela carregava a mesma obsessão discursiva com uma suposta erosão dos "valores tradicionais" promovida por uma "cabala de intelectuais". O termo bolchevismo cultural foi usado amplamente pela propaganda do Partido Nazista e por outros governos de extrema-direita europeus para denunciar movimentos modernistas nas artes como parte de uma "conspiração bolchevique" para erodir a arte e a cultura europeias[2].

Quem trouxe a narrativa do marxismo cultural de volta ao *mainstream* político foram dois ideólogos conservadores norte-americanos: Pat Buchanan e William S. Lind[3]. Ambos fizeram parte de um esforço para criar um "conservadorismo cultural" como estratégia eleitoral. Com o iminente fim da Guerra Fria era necessário criar uma estratégia eleitoral que estivesse afastada do debate econômico, já que o liberalismo se tornara consenso na direita e na esquerda anglo-saxãs. Lind achava que era mais importante que os conservadores abraçassem uma política mais centrada em valores culturais

---

[2] A ilustração da proximidade das teorias da conspiração do "marxismo cultural" e do "bolchevismo cultural" através daquela frase do *Mein Kempf* foi adaptada de um vídeo feito por Daniel (Three Arrows), outro anônimo dedicado a pensar sobre os meandros estranhos da Nova Direita. Ver "How 'Cultural Marxism' became the Far-Right's Scapegoat", no canal Three Arrows, hospedado no Youtube.

[3] Ver os artigos de Grant M. Dahl, "Buchanan: 'Cultural Marxism' Has Succeeded Where Marx and Lenin Failed", *CNS News*, 19 out. 2011, e de William S. Lind, "What is Cultural Marxism?", *Maryland Thursday Meeting*, s/d, ambos disponíveis online.

(educação, família, moralidade). A ideia de um "marxismo cultural" criava um adversário comunista praticamente onipresente: na educação pública, na mídia, nos ativistas dos direitos civis, na indústria do entretenimento etc.

O mais perigoso em torno dessa aceitação *mainstream* da teoria da conspiração do marxismo cultural é que ela traz junto de si outras ideologias do nazifascismo: a aceitação de teorias da degeneração (cultural e, no caso do mundo euroamericano, racial), a obsessão com teorias da conspiração vagas que repetem que "eles" estariam tentando destruir você, ameaçar sua família, sua propriedade e sua vida. Como de costume, esse "eles" sempre precisa ser vago, amplo e maleável: professores doutrinadores, artistas degenerados, banqueiros socialistas ou os globalistas da ONU.

Acham que isso é um exagero? Analisemos o trecho a seguir:

> A doutrina [GLOBALISTA] do marxismo rejeita o princípio aristocrático da natureza e substitui o eterno privilégio de poder e força pela massa de números e seu peso morto. Assim, nega o valor da personalidade no homem, contesta a importância da nacionalidade e da raça, e assim retira da humanidade a premissa de sua existência e sua cultura. Como uma fundação do universo, esta doutrina traria o fim de qualquer ordem intelectualmente concebível para o homem. E como, neste maior de todos os organismos reconhecíveis, o resultado de uma aplicação de tal lei só poderia ser o caos.

Parece familiar? Parece alguma coisa que algum pensador contemporâneo diria? Pois bem: isso é um trecho do capítulo 2 do *Mein Kempf*, de Adolf Hitler. A única diferença nesse trecho é a substituição do termo "judaica" por "globalista".

Qual a solução do *establishment* conservador para esse óbvio problema de uma crescente identidade da nova direita com o nazismo? Dizer que tanto o nazismo como o fascismo seriam fenômenos da esquerda, citando outros trechos em que Hitler é crítico de alguns aspectos capitalismo ou do sistema financeiro. É óbvio que isso não funciona e que qualquer um vai perceber os outros milhares de trechos nos quais a ideologia nazista é obviamente anticomunista, conservadora, defensora da propriedade privada dos meios de produção. No entanto, esse é um dos meios pelos quais é possível à extrema direita buscar conservadores para as suas fileiras.

Mais do que simplesmente anticomunista, a nova direita flerta com ideias do nazifascismo e, consciente ou inconscientemente, contribui para normalizá-las. Quando são criticados por esses aspectos se refugiam em questões de "liberdade de expressão" e de uma suposta "hegemonia da esquerda". Por inépcia ou intenção fazem com que os piores pesadelos da humanidade voltem à pauta, devidamente legitimados.

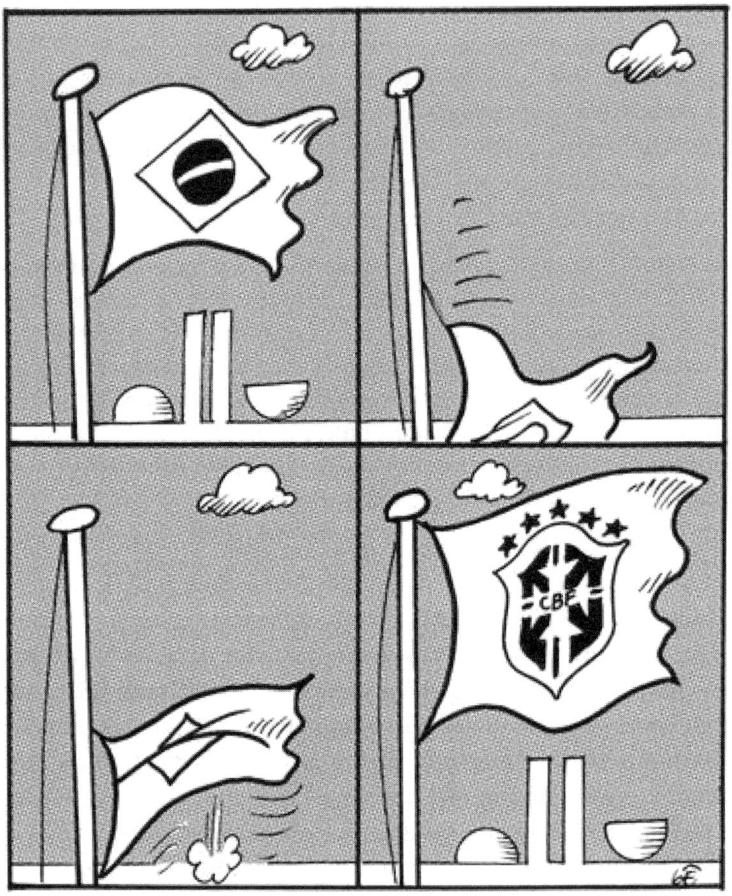
CBF

As classes dominantes e a nova direita no Brasil contemporâneo
Flávio Henrique Calheiros Casimiro

Nos últimos anos temos acompanhado um significativo avanço do pensamento e da ação política da direita no Brasil. O discurso de ódio sobre minorias, movimentos sociais e sindicatos, a perseguição a professores e à liberdade de cátedra, o ataque a concepções progressistas, o repúdio ao bem público e a exaltação exacerbada do mercado têm sido algumas das manifestações dessa espécie de "refluxo" reacionário. O debate acadêmico progressista e crítico tem convergido no entendimento de que esse fenômeno configura-se como a constituição de uma "nova direita" no Brasil.

Não podemos reduzir tal fenômeno de avanço do pensamento e da ação política da direita aos acontecimentos que marcaram o ano de 2015, com as manifestações pró-*impeachment* da presidente Dilma Rousseff. Esse é um processo de reorganização das classes dominantes que lança suas raízes em meados dos anos de 1980 e que tem como uma de suas manifestações, entre várias outras, o surgimento de um novo *modus operandi* de ação político-ideológica. Essa representação política não partidária dos segmentos da direita liberal conservadora, atualizada, militante e, muitas vezes, truculenta, configura-se, portanto, como aparelhos privados hegemonia, cuja ação foi ganhando amplitude e intensidade, assim como foi radicalizando seu discurso ao longo do tempo.

No início dos anos 1980, com o processo de abertura política, frações da burguesia do Rio de Janeiro e intelectuais ligados principalmente à Fundação Getúlio Vargas e com formação atrelada à Escola Monetarista de Chicago buscaram desenvolver uma nova estratégia de ação política e ideológica, inspirada no projeto do empresário inglês Anthony Fisher, que fundou em Londres, por sugestão de Friedrich Hayek, o Institute of Economic Affairs (IEA). Foi nessa perspectiva que fundaram, em 1983, um aparelho de difusão do liberalismo, pioneiro em seu modelo de atuação no Brasil, chamado Instituto Liberal (IL).

Em 1984, com a fundação do Instituto de Estudos Empresariais (IEE) em Porto Alegre, constitui-se uma espécie de eixo Sudeste-Sul de difusão do pensamento conservador, responsável pela organização de um dos mais importantes eventos da agenda da direita no Brasil, o Fórum da Liberdade. O evento é marcado pela participação de liberais de todo o mundo e de representantes de entidades como a Sociedade Mont Pelerin e a Atlas Network. Hoje, pode-se dizer que o Fórum tornou-se a grande vitrine de apresentação pública de diversos aparelhos ideológicos.

O início dos anos de 1990 é caracterizado por um processo de empresariamento de funções sociais do Estado. Organizações como o Grupo de Institutos, Fundações e Empresas (GIFE) e o Instituto Ethos de Empresas e Responsabilidade Social – ambas em São Paulo – passaram a articular e definir diretrizes de ação das chamadas organizações não governamentais (ONGs) e das fundações e associações sem fins lucrativos (Fasfil). Assim, buscam dar organicidade a determinadas formas de atuação coletiva, na construção do consenso em torno de sua concepção de mundo e na operacionalização de objetivos político-ideológicos.

Os grandes grupos econômicos industriais agruparam-se no início da década de 1990 em poderosas organizações que mobilizavam grande capital econômico e simbólico para a produção do consenso em torno das reformas neoliberais. Organizações como o Instituto de Estudos para o Desenvolvimento Industrial (Iedi), fundado em São Paulo 1989, e o Instituto Atlântico (IA), fundado em 1993 e com sede no Rio de Janeiro e em São Paulo, buscaram desenvolver a operacionalização de um projeto de poder de longo prazo. Todavia, se por um lado seus discursos estão amparados em valores da economia de mercado, por outro seus projetos de nação (dominação de classe) estão essencialmente entranhados na estrutura institucional do Estado.

Entre os aparelhos aliados ao IA estão o Instituto Millenium e, principalmente, o Grupo de Líderes Empresariais (Lide), um verdadeiro "clube dos milionários". O Lide foi fundado em São Paulo, em 2003, pelo empresário do ramo de comunicações e político filiado ao PSDB João Dória Júnior e, assim como o IEE, não é aberto, estabelecendo determinados critérios de exclusividade para o ingresso em seu seleto grupo. Para fazer parte do Lide, ao menos até 2015, era necessário se enquadrar no perfil de empresas brasileiras e multinacionais com "faturamento igual ou superior a 200 milhões de reais anuais".

Além das estratégias de ação no sentido de propor políticas públicas e naturalizar determinados valores, o Lide tem um papel pragmático importante no sentido de articular esforços e/ou recursos para a atuação política de empresários, como nas campanhas político-eleitorais do próprio presidente do grupo, João Dória Júnior (PSDB). Evidencia-se, portanto, o papel da organização na articulação também no plano político formal, sendo um dos elementos fundamentais que contribuíram para a vitória do performático Dória, apadrinhado político de Geraldo Alckmin, em primeiro turno, nas eleições para a prefeitura de São Paulo, em 2016.

Em 2004, passou a ser reconhecido como OSCIP o Movimento Brasil Competitivo (MBC), relevante articulação da grande burguesia. A instituição do Rio de Janeiro foi estruturada a partir de representantes da sociedade política e empresários pertencentes à grande burguesia brasileira, encabeçados por Jorge Gerdau Johannpeter, que, por sua vez, também é membro dirigente do IL, do IEE, do Iedi, do Lide e do IMIL entre outros aparelhos. Trata-se de um verdadeiro intelectual orgânico da burguesia brasileira.

O MBC, em sua própria estrutura, contempla a representação do aparelho institucional do Estado, com membros de quatro ministérios indicados pela Casa Civil como cadeiras permanentes. Uma de suas principais pautas é a redução da aparelhagem do Estado com vistas a torná-lo mais "enxuto" e "eficiente". Nesse sentido, o MBC busca não somente "educar" ou "formar" a burguesia para o consenso intraclasse, a partir de sua plataforma de eficiência e competitividade, mas igualmente difundir e instrumentalizar, na aparelhagem estatal, seu modelo privado de gestão como proposta "modernizadora".

Assim, a partir da segunda metade da década de 2000, o discurso da direita passa a ganhar maior dimensão e radicalidade. Abandona-se uma espécie de "constrangimento" que mantinha suas manifestações mais extremadas silentes; depois, elas passaram a caracterizar esse avanço da direita no Brasil. A reprodução desse tipo de concepção passou a ganhar muita força em virtude dos novos meios de comunicação digital e das redes sociais. Além da maior difusão do pensamento liberal-conservador, narrativas revisionistas e as *fakenews* passaram a "redimir" determinados discursos de ódio, tidos como inaceitáveis e repulsivos por décadas pela maioria da sociedade.

No XIX Fórum da Liberdade realizado em Porto Alegre, em abril de 2006, foi lançado o Instituto Millenium (IMIL). Com um discurso de glorificação do mercado como espaço de realização humana, rapidamente conquistou uma forte capilaridade entre os circuitos liberais no Brasil. Entre seus membros estão os jornalistas Pedro Bial (TV Globo), Rodrigo Constantino (colunista da revista *Veja*, do jornal *O Globo*, e do *Valor Econômico*), que também passou a dirigir o IL a partir de 2012 e Antônio Carlos Pereira (editor do jornal *O Estado de S. Paulo*), além de Luiz Eduardo Vasconcelos, diretor da Rede Globo. Também marcaram presença Giancarlo Civita (Grupo Abril) e o próprio João Roberto Marinho, filho de Roberto Marinho (Organizações Globo). Uma fração representativa desses jornalistas e empresários está ligada a inúmeras universidades brasileiras e, de alguma forma – seja como colunista, redator ou como dirigente –, a outros importantes veículos de comunicação da grande mídia brasileira.

Grande aliado do IL e do IMIL, o Instituto Mises Brasil (IMB) foi lançado na edição de 2010 do Fórum da Liberdade. O IMB representa as frações mais ortodoxas, tendo como referência a doutrina neoliberal austríaca, principalmente o libertarianismo, inaugurado por Murray Rothbard. Buscam reforçar o desprezo por tudo aquilo que é público e, consequentemente, supervalorizar a economia de mercado como condição necessária para o exercício pleno da liberdade entre os indivíduos consumidores. Trata-se de um aparelho privado de cepa fundamentalista do mercado e do conservadorismo cultural. Estabelece concepções moralistas, tentando legitimar a ideologia mais elitista, mesquinha e preconceituosa, de caráter protofascista, sob o signo de "ciência", buscando uma "aparência de crítica social".

Já o Estudantes pela Liberdade (EPL) foi lançado no Fórum da Liberdade de 2012 e sua atuação é voltada especificamente ao público jovem e universitário. O EPL tem vínculos com tradicionais organizações de caráter doutrinário. Entre seus fundadores estão o gaúcho Fábio Ostermann (dirigente do IL, do Instituto Liberdade e do Ordem Livre e colunista do IMIL), o jovem arquiteto e urbanista Anthony Ling (IL, IEE e Instituto Liberdade) e o mineiro Juliano Torres, que participou da tentativa de fundação do Partido Político Libertários (Liber). Quanto à sua vinculação externa, o EPL configura-se como uma versão brasileira do Students for Liberty e é ligado ao mega *think tank* Atlas Network.

O EPL organiza, financia e estabelece diretrizes de ação, principalmente a partir de seu braço de atuação política e ideológica, o Movimento Brasil Livre (MBL). Divulgando vídeos de seus membros com narrativas revisionistas e ataques aos movimentos sociais, proferindo discursos de ódio de classe e sobre minorias, criando e reproduzindo *fakenews*, promovendo manifestações reacionárias e viabilizando a candidatura política de seus integrantes alinhados a tradicionais partidos de direita, o MBL configura-se como uma marca dessa nova direita.

A nova direita brasileira não possui uma homogeneidade ideológica, mas comporta distintas orientações, desde a influência monetarista da Escola de Chicago, o neoliberalismo austríaco ou mesmo vertentes mais fundamentalistas, como o libertarianismo. Apesar de expressar contradições e conflitos interburgueses, a nova direita assegura o essencial para a garantia dos seus interesses de acumulação de capital.

A partir dos anos de 1990 e, principalmente, dos anos 2000, observa-se a paulatina substituição de uma postura mais contida e técnica por um discurso bem mais agressivo, com uma forte pauta moralista. Em parte, o modelo original dos anos 1980 foi ultrapassado pela agressividade de seus próprios filhotes, como o IMIL, o IMB e EPL/MBL. Por outro lado, a própria política internacional, principalmente a norte-americana, sofreu inflexões (depois dos atentados terroristas de 11 de setembro de 2001), aproximando o discurso e a atuação das organizações de ação doutrinária brasileiras da vertente mais dura, característica dos Estados Unidos, para o que, aliás, contribui a tradição autocrática brasileira. Com o tempo, esse conjunto de aparelhos privados tornou-se uma espécie de porta-voz de uma nova direita aberta e dura, com enorme agressividade, ao lado de posições de uma subordinação impactante a certos padrões ideológicos vigentes nos países centrais, com destaque para os Estados Unidos.

PRECISAMOS EVITAR O PENSAMENTO ÚNICO.
COMO ASSIM, "PENSAMENTO"?
LAERTE

O *boom* das novas direitas brasileiras: financiamento ou militância?
Camila Rocha

Quando digo a alguém que estudo organizações brasileiras de direita, frequentemente ouço a pergunta "Como você tem estômago?", seguida por "E de onde vem o dinheiro?". Acredito que estas duas indagações sejam sintomáticas do que normalmente as pessoas associam às direitas: grandes empresários, latifundiários e pessoas de elite preocupadas única e exclusivamente em defender seus interesses materiais a qualquer custo, fazendo uso de seu poder de influência junto ao Estado, às igrejas, à grande mídia e, em cenários mais adversos, aos militares. Ainda que tal percepção não seja completamente equivocada, a ausência de um olhar mais interessado por sutilezas e tons de cinza impossibilita uma melhor compreensão sobre quem são e como agem as direitas, especialmente tendo em vista o papel desempenhado pela militância no processo político.

A percepção de que a militância de direita seria inautêntica, manipulada por elites políticas mais importantes e experientes e/ou formada por pessoas histéricas e paranoicas, que vem sendo contestada por uma nova historiografia[1], possivelmente guarda alguma relação com um entendimento implícito de que a posse de recursos materiais abundantes explicaria o sucesso das direitas em mobilizar parte significativa da sociedade civil em prol de suas causas. Contudo, ainda que a posse de recursos financeiros e organizacionais de fato ajude a explicar parcialmente o êxito de movimentos e mobilizações sociais, diversos outros fatores podem determinar seu sucesso ou fracasso, como a criação de fortes identidades coletivas, dinâmicas emocionais que surgem a partir de interações e conflitos entre grupos políticos, mudanças nas estrutura de oportunidades políticas que criam momentos mais propícios para a ação de determinados grupos e, nos últimos anos, a habilidade no uso (e a própria lógica) das mídias sociais, fatores que considero terem sido cruciais para o *boom* das novas direitas no Brasil em meio ao ciclo de protestos pró-*impeachment* de Dilma Rousseff (2014-2016)[2].

As novas direitas começaram a se organizar sem maiores recursos bem antes da reeleição de Dilma, entre o final do primeiro governo Lula e o início do segundo. Naquela época, surgiram na internet fóruns de discussão, blogs, sites e comunidades (principalmente na extinta rede social Orkut e, posteriormente, no Facebook) em que se discutiam temas relacionados ao livre-mercado, à defesa de valores cristãos e à conjuntura política nacional e internacional. Um pioneiro nesse movimento foi o jornalista e escritor Olavo de Carvalho, que, após a polêmica causada pela publicação de livros em que criticava intelectuais e acadêmicos de esquerda, resolveu apostar na divulgação de suas ideias na internet. Para tanto, criou um blog pessoal em 1998, depois um site coletivo em 2002, o *Mídia Sem Máscara*, e, em 2006, um programa de rádio, o *TrueOutspeak*, por meio do site *BlogTalkRadio*, que era acompanhado pelos membros das comunidades do Orkut fundadas em sua homenagem e por simpatizantes de ideias de direita espalhados pelo país. No entanto, a despeito de

---

[1] Integrada por trabalhos como os de Rodrigo Pato Sá Motta, *Em guarda contra o "perigo vermelho": o anticomunismo no Brasil, 1917-1964* (São Paulo, Perspectiva, 2002), Janaína Cordeiro, "Femininas e formidáveis: o público e o privado na militância política da Campanha da Mulher pela Democracia (CAMDE)", *Revista Gênero*, UFF, v. 8, n. 2, 2008, e Lucia Grinberg, *Partido político ou bode expiatório: um estudo sobre a Aliança Renovadora Nacional (Arena), 1965-1979* (Rio de Janeiro, Mauad, 2009).

[2] A análise aqui apresentada se baseia em uma pesquisa de campo realizada entre 2015 e 2018 que reúne mais de 25 entrevistas em profundidade com lideranças e militantes de direita, análise de conteúdo veiculado em comunidades virtuais e páginas mantidas pela militância de direita, jornais e revistas, documentos históricos de *think tanks* pró-mercado e participação em eventos da militância de direita realizados ao longo deste período.

sua crescente popularidade, a tentativa de manter um instituto que havia sido fundado em sua homenagem em 2010 por mais de dois anos naufragou por falta de recursos e dissensões internas.

Ao mesmo tempo que Carvalho era considerado por seus admiradores uma das poucas vozes capazes de aglutinar militantes e simpatizantes de direita que não se sentiam representadas institucionalmente, grupos de profissionais liberais e estudantes universitários de classe média ultraliberais (isto é, entusiastas de uma defesa radical do liberalismo econômico em comparação aos neoliberais) passaram a se organizar dentro e fora da internet. Sem muitos recursos e considerando que o recém-fundado Instituto Millenium, assim como os *think tanks* atuantes nos anos 1980 e 1990[3], empregava mal seus fartos recursos materiais, os ultraliberais tentaram fundar um partido próprio. A princípio fracassaram, mas foram capazes de fundar novas organizações civis, como o Instituto Mises Brasil, o Estudantes Pela Liberdade e o Ordem Livre, entre outras. Os membros dessas organizações logo passaram a frequentar espaços como o Fórum da Liberdade[4] e a criar vínculos importantes com *think tanks* (brasileiros e estrangeiros) mais antigos de direita e seus financiadores, especialmente os empresários da família Ling, proprietária do grupo Évora, e Salim Mattar, do grupo Localiza. Ainda assim, os recursos materiais e organizacionais a que tiveram acesso não eram de grande monta, e inicialmente as organizações recém-fundadas não tinham sede própria, apenas alguém responsável por alimentar uma página na internet de forma voluntária ou recebendo cerca de R$ 1 mil por mês, além de disponibilizar de algum dinheiro para a organização de eventos, como palestras, cursos de formação e treinamento para militantes.

---

[3] Sobre o Instituto Millenium e seus financiadores, ver Luciana Silveira, *Fabricação de ideias, produção de consenso: estudo de caso do Instituto Millenium* (dissertação de mestrado, Campinas, IFCH-Unicamp, 2013). Sobre os *think tanks* pró-mercado atuantes nos anos 1980 e 1990, ver Denise Gros, "Institutos liberais, neoliberalismo e políticas públicas na Nova República", *Revista Brasileira de Ciências Sociais*, v. 19, n. 54, fev. 2004; Flávio Henrique Casimiro, "A dimensão simbólica do neoliberalismo no Brasil: o Instituto Liberal e a cidadania como liberdade de consumo", *Cadernos de Pesquisa do CDHIS*, v. 23, n. 1, 2011; e Camila Rocha, "O papel dos *think tanks* pró-mercado na difusão do neoliberalismo no Brasil", *Millcayac: Revista Digital de Ciencias Sociales*, v. 4, n. 7, 2017, p. 95-120.

[4] Evento anual organizado em Porto Alegre pelo Instituto de Estudos Empresariais sobre economia e política que já alcançou a trigésima edição. Para mais informações ver a página online do portal, disponível em: <http://forumdaliberdade.com.br/2018/>.

Para efeito de ilustração, a organização norte-americana Atlas Network[5], por exemplo, concede para todas as mais de quatrocentas organizações a ela filiadas apenas US$ 4 mil anuais (o que corresponde a cerca de R$ 1 mil por mês) e o Instituto Liberal do Rio de Janeiro, que passou a ser presidido por Rodrigo Constantino em 2013, que era sediado já num espaço exíguo em 2015, atualmente não tem mais sede física por falta de recursos. Assim, parte significativa das atividades realizadas pelos ultraliberais era voluntária, incluindo a formação de grupos de estudos universitários e chapas para a disputa de centros acadêmicos, e a militância tirava dinheiro do próprio bolso para organizar e/ou participar de protestos de rua, como os de Junho de 2013, quando teve origem o Movimento Brasil Livre (MBL), o qual, após seu renascimento a partir do Movimento Renovação Liberal, originado em Vinhedo, no interior de São Paulo, passou a contar com um espaço físico: a produtora de conteúdo audiovisual de Alexandre Santos, irmão de Renan Santos, um dos principais líderes do Renovação Liberal, depois do MBL.

Existiam também grupos de direita na sociedade civil que não se originaram na internet, como o Cansei, o Endireita Brasil e o Vem pra Rua, sendo que o Cansei, apesar de ter apoiadores de peso – como setores da OAB e o ex-prefeito de São Paulo João Dória, entre outros –, não sobreviveu muito além de sua primeira manifestação ocorrida em 2007 contra o chamado "caos aéreo" e o governo do PT no auge do lulismo, encerrando suas atividades precocemente. Já o Endireita Brasil, formado em 2006 por um grupo de jovens advogados de direita atuantes na defesa legal de atores ligados ao agronegócio, sobretudo em conflitos com indígenas, militantes sem-terra e quilombolas, não teve sucesso em realizar protestos de rua contra o "mensalão", como pretendia inicialmente, dada a crescente popularidade de Lula na época. Todavia, o movimento, sediado no mesmo endereço do escritório de advocacia de seus fundadores, conseguiu que boa parte de seus membros passassem a trabalhar no

---

[5] As organizações Atlas Network, Foundation For Economic Freedom e Cato Institute, ao lado de outras instituições similares, integram a rede norte-americana ligada à "militância libertariana" internacional. Atualmente, o Cato atua em conjunto com a Atlas Network, fundada em 1981 nos Estados Unidos com o objetivo de articular mais de quatrocentos *think tanks* pró-mercado espalhados pelo mundo; cf. Camila Rocha, "Direitas em rede: *think tanks* de direita na América Latina", em Sebastião Velasco e Cruz et al. (orgs.), *Direita volver! O retorno da direita e o ciclo político brasileiro* (São Paulo, Perseu Abramo, 2015). A atuação destas e outras organizações é descrita de forma bastante detalhada no livro de Bryan Doherty, *Radicals for Capitalism: A Freewheeling History of the Modern American Libertarian Movement* (Nova York, PublicAffairs, 2009).

Palácio dos Bandeirantes após terem se engajado ativamente na derrotada campanha eleitoral do tucano Geraldo Alckmin à Presidência em 2006; hoje, doze anos depois, a página da organização na internet, alimentada por um militante que também foi trabalhar no governo se encontra desativada.

A sorte da militância de direita começou a melhorar à medida que alguns colunistas e comentadores políticos de oposição ao governo começaram a usar um tom cada vez mais agressivo em suas críticas veiculadas em jornais e revistas de grande circulação, centradas principalmente no escândalo do "mensalão" (2005-2006)[6]. Isso acabou criando um clima de opinião mais favorável a pequenas e médias manifestações contra a corrupção e o PT que começaram a pipocar nos anos subsequentes.

Quando ocorreram as manifestações de junho de 2013 e a popularidade de Dilma Rousseff despencou, as direitas começaram a conquistar mais adeptos e simpatizantes. Mas a mudança na estrutura de oportunidades políticas decisiva para as direitas foi a reeleição de Rousseff. Em 2014, às vésperas das eleições, o movimento Vem pra Rua finalmente conseguiu levar cerca de 10 mil manifestantes para as ruas; os ultraliberais e o Movimento Renovação Liberal (liderado por Renan Santos) organizaram-se em torno da campanha do candidato a deputado Paulo Batista, conhecido como "herói do Raio Privatizador", produzida pela empresa de vídeo de Alexandre Santos. No segundo turno das eleições, todos os grupos se uniram em torno da campanha de Aécio Neves, com o intuito de impedir a vitória de Dilma Rousseff.

A vitória do tucano era dada como certa pela militância de direita, e a reeleição de Dilma Rousseff foi um verdadeiro banho de água fria. Apenas seis dias após a reeleição da petista, Paulo Batista, derrotado na candidatura a deputado, convocou, a partir de sua página do Facebook, o primeiro protesto pró-*impeachment* da presidente. Apesar de ter recebido 100 mil confirmações online e o apoio de Olavo de Carvalho e Marcello Reis (da página Revoltados Online), a imprensa registrou a presença de apenas 2.500 pessoas na Avenida Paulista, munidas de bandeiras do Brasil e cartazes com dizeres como "Fora PT", "Fora Dilma" e "Fora

---

[6] Vários desses colunistas também começaram a publicar livros nessa época. Em 2007, por exemplo, mesmo ano em que ocorreu a manifestação do "Cansei", foi publicado pela Record, a maior editora de do país, o livro de Diogo Mainardi, *Lula é minha anta*, sobre o Mensalão. Ainda na mesma toada, foram publicados pela mesma editora *O país dos Petralhas* (2008) e *Máximas de um país mínimo* (2009), de Reinaldo de Azevedo, e *O lulismo no poder* (2010), de Merval Pereira. Para mais informações sobre a atuação de intelectuais de direita neste período ver, de Jorge Chaloub e Fernando Perlatto, "Intelectuais da 'nova direita' brasileira: ideias, retórica e prática política", *Insight Inteligência*, Rio de Janeiro, v. 1, 2016, p. 25-42.

corruPTos", ao lado de personalidades como Lobão e Eduardo Bolsonaro. Além disso, a pauta pró-*impeachment* foi contestada pelo Vem pra Rua, que à época a considerava muito radical, e não foi levada a sério por atores políticos de oposição mais relevantes. A militância, no entanto, não desanimou. Passados apenas 15 dias do primeiro protesto, foi convocada uma segunda manifestação na mesma avenida paulistana pelo grupo Revoltados Online, em 15 de novembro, e a militância organizada em torno da campanha do "Raio Privatizador" decidiu ressuscitar o MBL, criado durante as manifestações de junho de 2013 em substituição ao Movimento Renovação Liberal, de Renan Santos, cujo nome "não havia colado".

Após o segundo protesto seguiram-se ainda mais três eventos similares, e os diferentes movimentos começaram a tentar superar as diferenças existentes e trabalhar em conjunto. Até que, em 15 de março de 2015, o MBL, o Vem pra Rua e os Revoltados Online convocaram uma manifestação que reuniu centenas de milhares de pessoas na Avenida Paulista. À medida que as manifestações cresciam, com a ajuda da divulgação massiva por parte da grande mídia dos escândalos revelados pela operação Lava Jato, os três movimentos começaram a ganhar proeminência e passaram a receber financiamento de empresários e atores políticos de oposição, o que levantou suspeitas não apenas da esquerda mas também de alguns militantes importantes, que acabaram se afastando dos movimentos. Contudo, logo após o impedimento da presidenta ser consumado, os recursos voltaram a se tornar mais escassos e os movimentos, ainda que mais fortalecidos e contando com milhares de simpatizantes a mais nas redes sociais, voltaram a contar em grande medida com seus próprios recursos, os quais, ainda que tivessem aumentado, ainda não eram suficientes para alugar sedes espaçosas, contar com funcionários contratados de forma permanente e equipamentos de última geração, como faziam os *think tanks* pró-mercado nos anos 1980 e 1990.

Em conclusão: a suposta disponibilidade de fartos recursos materiais e organizacionais não explicam o sucesso das direitas na opinião pública e sua capacidade de mobilizar uma quantidade significativa de pessoas para protestar contra governos de esquerda. Muitos outros fatores devem ser levados em consideração e dizem respeito à percepção de ameaças e oportunidades por parte da militância, a consolidação de laços e identidades comuns, mobilização de afetos e uso de redes sociais, sendo que, em determinadas circunstâncias, tais fatores foram mais importantes do que a posse de recursos abundantes. Afinal, como explicar o sucesso de Jair Bolsonaro em reunir em torno de si mais de 20% das intenções de voto para as eleições presidenciais de 2018 a despeito de contar com recursos materiais e organizacionais pífios em comparação com outros concorrentes? Não siga o dinheiro, siga a militância.

Da esperança ao ódio: a juventude periférica bolsonarista
Rosana Pinheiro-Machado e Lucia Mury Scalco

Em 2017, uma pesquisa do DataFolha apontou que 60% dos eleitores do então pré-candidato à presidência da República Jair Bolsonaro, do Partido Social Liberal (PSL), tinham entre 16 e 34 anos. Isso soou como uma surpresa na esfera pública, que é, em grande medida, movimentada pela polarização ideológica que se acirrou no Brasil após 2013. Na lógica dualista presente nas redes sociais, cada integrante de um polo pensa dentro um pacote de valores políticos e morais que é oposto ao seu antagônico. Logo, uma análise superficial poderia sugerir que a juventude bolsonarista é, inexoravelmente, protofascista. A realidade do cotidiano, contudo, é mais complexa que o binarismo em sua forma ideal e aponta para a existência de sobreposição entre os polos. Com efeito, os limites entre a esquerda e a direita, o lulismo e o bolsonarismo e a esperança e o ódio são mais turvos do que se pode imaginar à primeira vista.

Este ensaio é fruto de uma etnografia longitudinal que vem sendo realizada desde 2009 sobre consumo e política entre jovens do Morro da Cruz (aqui, "o Morro"), a maior periferia de Porto Alegre. Nós viemos acompanhando grupos juvenis desde antes da polarização política e pudemos observar as transformações pelas quais eles, suas famílias e seus entornos passaram de acordo com momentos-chave da história recente do país, marcados, respectivamente, pela emergência do crescimento econômico e, na sequência, seu colapso. Essas fases do desenvolvimento nacional afetam não apenas as condições materiais da existência, mas igualmente o *self* individual, a capacidade de aspirar e as formas de fazer política e de compreender o mundo. Esperança e ódio, por fim, não são categorias totalizantes na perspectiva adotada aqui. São antes tendências que nos ajudam a pensar como a subjetividade política é moldada em contextos diferenciados. Havia ódio na esperança e parece haver esperança no ódio – e essa sutileza é, na verdade, central no argumento que traçaremos nas linhas que seguem.

Esperança, substantivo feminino

Após anos de politização popular em Porto Alegre, berço do Orçamento Participativo, o lulismo se caracterizou pelo fortalecimento do Estado-gestor, pela gradual desmobilização das bases coletivas e pela adoção de políticas liberais, mais individualizadas, de transferência de renda, tendo como marco o Programa Bolsa Família[1] (PBF). No Morro, isso acarretou em enfraquecimento democrático, mas não em despolitização. O próprio ato do consumo, em uma sociedade profundamente desigual, se configurava um ato de contestação.

O Brasil deixou a condição de "país do futuro" e acessou o *status* de um país emergente no sistema internacional, não apenas resistindo à crise econômica internacional de 2008, mas também atingindo seu pico de crescimento econômico (7,5%) em 2010, ao reduzir os impostos para incentivar o consumo interno. Nesse contexto, a inclusão financeira tornou-se um emblema nacional na era Lula. As pessoas de grupos de baixa renda desfrutaram pela primeira vez de ofertas de cartões de crédito, a possibilidade de comprar produtos manufaturados e/ou eletrônicos em várias parcelas e o acesso ao sistema bancário e de crédito. As reformas visavam fortalecer os grupos menos favorecidos por meio de um novo idioma de direitos, reconhecimento e ação afirmativa. A "classe C" ou as chamadas "novas classes médias" tornaram-se um fenômeno sociológico. É também importante notar para propósito deste

---

[1] Ver, por exemplo, André Singer, *Os sentidos do lulismo: reforma gradual e pacto conservador* (São Paulo, Companhia das Letras, 2012).

ensaio é que o verbo "brilhar" foi amplamente empregado por acadêmicos e formuladores de políticas para descrever esse momento emergente marcado pela mobilidade social[2].

Esse momento nacional, que veio embrulhado de brilho e esperança, era marcado pela micropolítica de "reivindicação do direito ao prazer". Como também apontou a etnografia de Spyer em um vilarejo na Bahia, a emergência econômica se caracterizava por um processo subjetivo profundo em que a histórica invisibilidade e humildade dos "subalternos" se transmutava em orgulho e autoestima, tanto no nível individual como de classe[3]. Era o momento de as pessoas pobres "brilharem" pela primeira vez: "levantar a cabeça", como dizia Marta (25 anos) nossa interlocutora de pesquisa, "trocar o elevador de serviço pelo social" (Beta, 19 anos) ou vestir uma "capa de super-herói e dizer "Eu tô podendo" quando se usava um boné de marca (Betinho, 17 anos). Até 2014, mais ou menos, grande parte das falas de nossos interlocutores, especialmente os mais jovens, ressaltava justamente um aspecto de *provocação* de classe e raça: "Eles [os brancos] terão de me engolir, essa negona aqui, empregada doméstica, usando esses óculos Ray-Ban no ônibus. Azar dos racistas se acharem que meus óculos são falsificados" (Karla).

Em contexto de economias emergentes, a entrada de sujeitos na economia de mercado produz um duplo-movimento[4], já que também resulta na produção de sujeitos mais demandantes, conscientes ou exigentes. No caso de nossos interlocutores, a inclusão financeira se revelava um processo altamente ambíguo. De um lado, havia um mercado – e, agora, também um governo – dizendo que todos podiam consumir. De outro, permanecia uma sociedade que escancarava o "não", atualizando os marcadores simbólicos da diferença. O ápice dessa contradição neoliberal se materializa nos "rolezinhos" que os "bondes" (gangues juvenis) davam nos *shopping centers* na cidade. Nós acompanhamos alguns "rolês" nos anos 2011 e 2012 (os rolezinhos viraram um fenômeno nacional no fim de 2013 e início de 2014). Os meninos que nós acompanhávamos nos *shoppings centers* viviam essa tensão: o ato de consumir conspicuamente e ostentar marcas operava como um espelho de um mundo que mantinha-se segregado, violento, racista e desigual. Isso ocorria porque,

---

[2] Marcelo Cortes Neri, *A nova classe média: o lado brilhante dos pobres* (Rio de Janeiro, FGV/CPS, 2010).

[3] Juliano Spyer, *Social Media in Emerging Brazil* (Londres, UCL Press, 2017).

[4] Li Zhang, *In Search of Paradise: Middle-Class Living in a Chinese Metropolis* (Nova York, Cornell University Press, 2012).

quanto mais eles usavam marcas para se afirmar, para "entrar no *shopping* de cabeça erguida", mais os olhos externos os classificavam como "pobres", "favelados" ou "bandidos". Nesse sentido, a política do consumo energia justamente do desvelamento dessa contradição, do momento em que os jovens se davam conta dos limites da inclusão.

Ódio, substantivo masculino

Retomamos o trabalho de campo no Morro no fim de 2016. Era o momento pós-ocupações secundaristas e nós estávamos intrigadas para entender se havia relação entre os rolezinhos e essa forma de mobilização emergente. Como pontuamos nos parágrafos anteriores, acreditávamos que os rolezinhos continham uma "semente de insurgência", pois eram uma espécie de "rebelião primitiva", para usar um termo de Standing[5], marcada pela ambiguidade e que, portanto, poderiam pender à esquerda ou à direita dependendo da correlação de forças no contexto e das oportunidades políticas. As ocupações secundaristas – a virada anticapitalista da juventude – eram a prova cabal desse nosso argumento. Ou não.

Em nossa primeira visita a uma escola do Morro em 2016, foi revelador descobrir que os meninos que veneravam marcas e davam "rolês" em *shopping centers* ignoravam – quando não desprezavam como "coisa de vagabundo" – as ocupações. Além disso, o pêndulo das "rebeliões primitivas" pesava para o lado do conservadorismo: aproximadamente um terço dos alunos secundaristas das escolas que visitamos demonstrava grande interesse na figura de Jair Bolsonaro, que defende uma agenda conservadora moral, bem como o punitivismo no combate à violência urbana e à corrupção. Em 2017, era raro conhecer um menino que não fosse admirador do candidato. O político se tornou um fenômeno, um símbolo totêmico de identificação juvenil masculina semelhante ao papel que a Nike ou a Adidas, como exemplos de grife, desempenhavam em tempos de crescimento econômico e apologia governamental ao consumo.

O que havia ocorrido entre 2014 e 2017 que provocara tamanha transformação na subjetividade juvenil masculina? O que fez com que jovens trocassem as marcas pela iconografia de um político?

O crescimento do Brasil ancorado, entre outras coisas, no incentivo do consumo doméstico se demonstrou insustentável no longo prazo. Em 2014, o país adentrou em uma das piores crises de sua história. Após dois anos de

---

[5] Guy Standing, *The Precariat: The New Dangerous Class* (Londres, Bloomsbury, 2016).

convulsões políticas e econômicas, o *impeachment* da presidenta Dilma Rousseff em 2016 e a consequente agenda de austeridade adotada por Michel Temer culminou em sensação de desamparo social. Não só as pessoas deixaram de consumir como também deixaram de receber diversos benefícios do governo federal.

No meio desse processo de liminaridade e de crise, não foram os rolezeiros que transmutaram sua revolta na formação de novas subjetividades políticas contenciosas. Após as mobilizações das Jornadas de Junho de 2013, a crise se constituiu uma janela de oportunidades políticas a mobilização de muitos jovens secundaristas nos anos seguintes. Como mostra a pesquisa de Paula Alegria, uma das características das ocupações das escolas que se alastraram país afora foi o protagonismo político das meninas adolescentes[6]. Além das ocupações em si, o Brasil pós-2013 se caracteriza pela proliferação de coletivos negros, LGBTs e feministas, marcados pela lógica autonomista da descentralização e horizontalidade. Nas escolas do Morro, houve uma explosão de meninas que se declaram feministas. Isso não é apenas inédito como chega a ser revolucionário no sentido de rompimento de estruturas sociais e modelos hegemônicos de masculinidade que se perpetuavam na zona urbana periférica.

Nos debates que temos promovido nas escolas desde dezembro de 2016, os meninos têm se demonstrado mais retraídos em sala de aula, enquanto as meninas, com argumentos articulados e com a voz entonada, criticam as manifestações machistas de Jair Bolsonaro, por exemplo. Porém, quando realizamos grupo-focal só com meninos simpatizantes do candidato, eles se sentem à vontade para falar sobre suas razões de adesão ao "mito". Uma dos fatores que nos parece decisivo para a formação de uma juventude bolsonarista é justamente essa perda de protagonismo social e a sensação de desestabilização da masculinidade hegemônica. Isso fica bastante evidente em nossas rodas de conversa mais descontraídas, quando os meninos chamam algumas meninas de "vagabundas" e "maconheiras". Tal modo pejorativo não é nenhuma novidade na sociabilidade juvenil – a diferença é que, agora, muitas dessas meninas reivindicam um papel político e público de forma mais contundente.

Por outro lado, ainda que a questão de gênero seja decisiva, seria simplista o argumento de que a adesão bolsonarista se dê como uma reação à emergência do feminismo. Suas masculinidades são também desafiadas no dia a dia da crise de violência urbana de Porto Alegre. Todos os nossos interlocutores

---

[6] Ver Paula Alegria, "'Lute como uma mina!' Gênero, sexualidade e práticas políticas em ocupações de escolas públicas", *Seminário Internacional Fazendo Gênero 11/13th Women's Worlds Congress*, Florianópolis, 2017, disponível online.

homens, adolescentes ou jovens adultos, ou sofreram tentativas ou já foram de fato assaltados no transporte público no percurso da escola ou trabalho.

Quando o assunto era segurança pública, os jovens falavam do candidato com afinco e com conhecimento de pautas e propostas. Demonstravam raiva contra um sistema penal e prisional que consideram frouxo e que supostamente ninguém respeita: "as leis são fracas e ninguém respeita" (Anderson, 17), "bandido sabe que nada vai lhe acontecer" (Luís, 19). Na mesma linha temática, o tema mais forte entre os simpatizantes homens de Bolsonaro, sejam eles jovens ou não, era a fé no armamento da população.

A figura militar de Bolsonaro também despertava profunda admiração. Nenhum adolescente entrevistado defendeu a volta a ditadura, mas achavam importante os valores de "pulso", "ordem", "disciplina", "mão forte" e "autoridade" neste momento de crise nacional. Enquanto todos os meninos se colocaram contra a tortura e a censura, sendo inclusive críticos da ação policial nas comunidades, eles viam na imagem do militar uma forma de "último recurso", isto é, figurativamente, um pedido de socorro de jovens que já foram tomados pelo desalento. Este é o caso de Rique (21 anos), integrante da chamada geração *nem-nem*: nem estuda nem trabalha. Ele passa o dia entre a casa e a Igreja Universal que frequenta. Deus e Bolsonaro, para ele, são duas formas de salvação de uma vida indigna.

Nossa pesquisa possui interlocutores de diversas idades (embora o foco sejam os adolescentes) e dos mais variados pertencimentos. Após realizar dezenas de rodas de conversas, informais ou semiestruturadas, não conseguimos identificar um padrão ou um consenso de posições entre os adolescentes. Existem simpatizantes do Bolsonaro entre meninos que pertencem a mundos completamente distintos, como o do *funk*, do tráfico, da Igreja ou da escola. Cada um desses grupos juvenis se apega a uma parte do repertório que, em comum, apenas passa pela figura de um homem que oferece uma solução radical à vida como ela é hoje.

Nesse sentido, por estarmos fazendo campo em uma perspectiva longitudinal, nosso achado mais importante é que esses jovens são muito mais flexíveis e abertos ao diálogo em profundidade do que se pode imaginar no senso comum midiático, que frequentemente recorre à categoria de "discurso do ódio", a qual, em nosso entendimento tem apenas valor político, mas não acadêmico. Em todos os nossos debates, quando os meninos foram expostos a argumentos e debates mais longos, houve mudança de posicionamento. Além disso, era comum que eles dissessem algo como "sou fã do cara, mas tenho medo dele, pois ele é extremista" e, então, mencionavam que tinham medo de ditadura, de castração química de estupradores e da própria personalidade "cabeça quente" do candidato. Também já deparamos com muitos meninos que em 2017 eram fãs do Bolsonaro e agora acham que ele não se sustenta em debates, como uma espécie de modismo juvenil que vai perdendo a força.

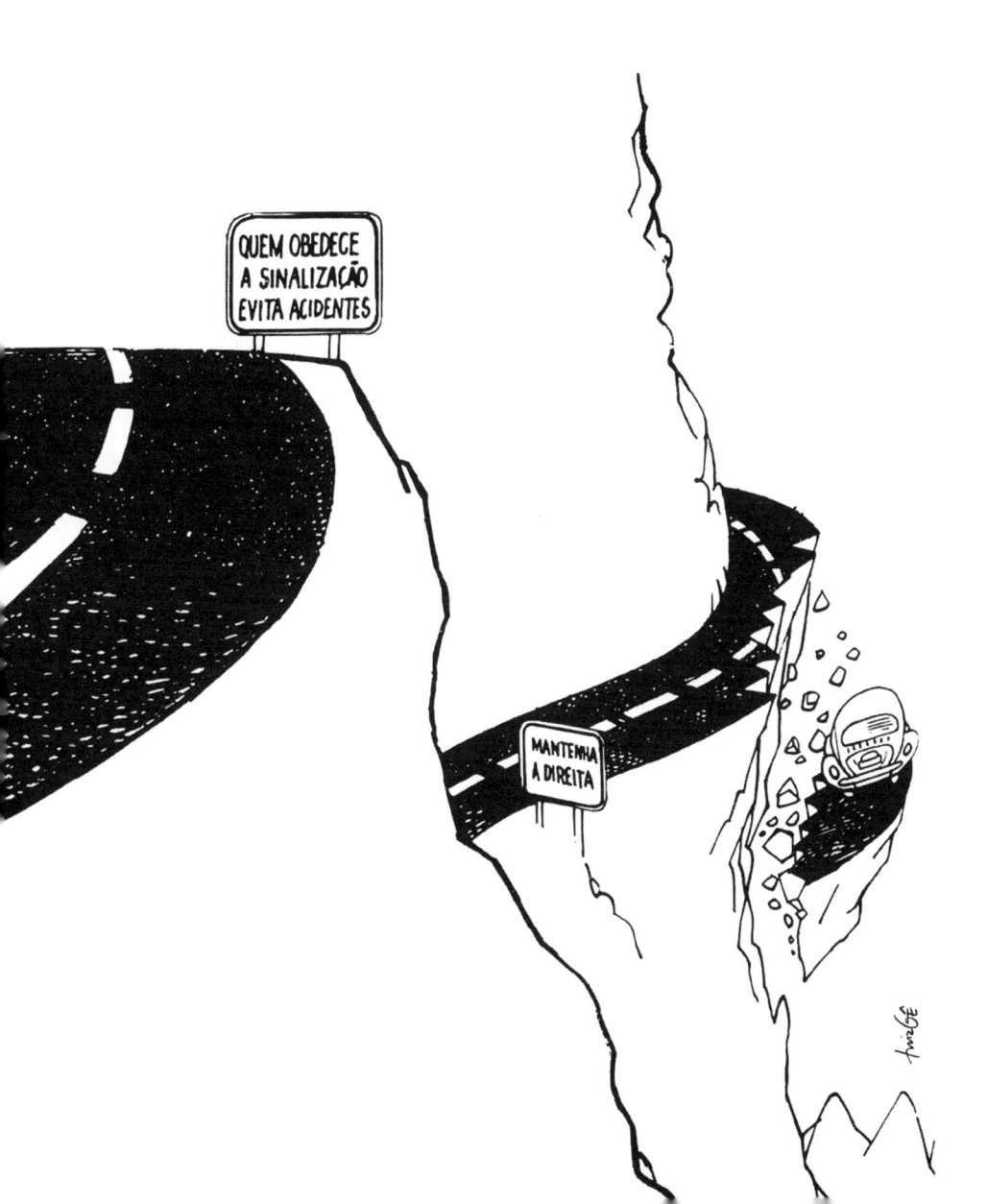

século XIX

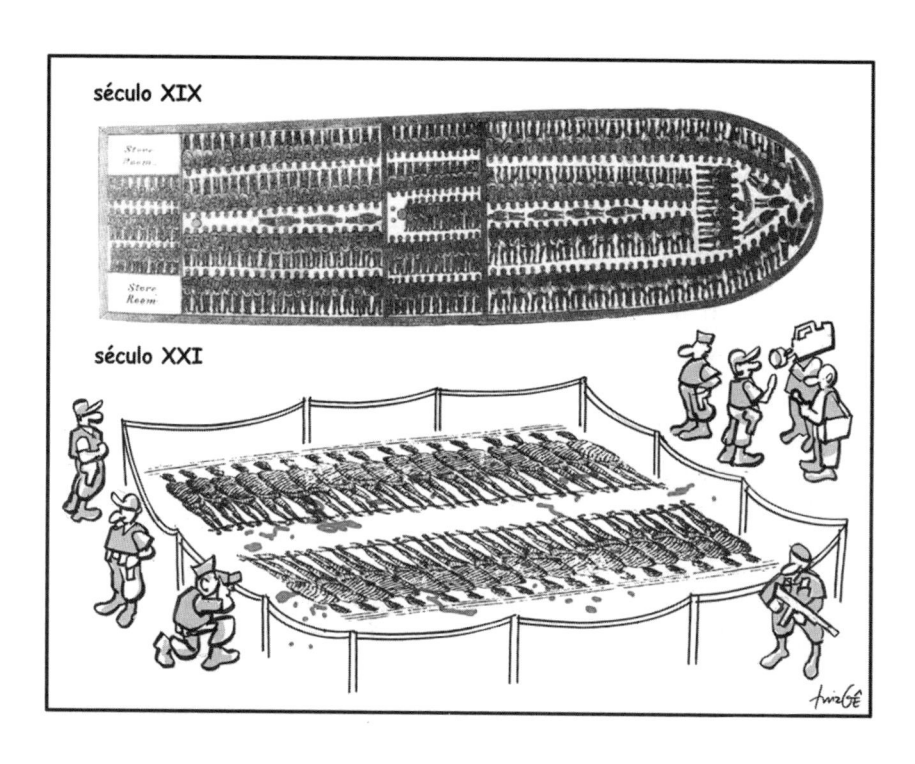

século XXI

Periferia e conservadorismo
Ferréz

Dobrar qualquer argumento infundado não deveria ser difícil, mas por aqui é.

Armados somente com o diz-que-me-diz e com o que a televisão vomita, a ala reacionária está cada vez maior.

Quando o buchicho ganha mais vida que qualquer conhecimento, ele vira verdade de quebrada em quebrada, e uma certeza não vale mil verdades.

Tudo bem que é um discurso fraco, que não se mantém, mas cansa ficar contra-argumentando, tentando espelhar casos e, pior, tentando mostrar que a pessoa está na situação de vítima dos argumentos usados e não por cima deles.

Ninguém se declara pobre, pobre sempre é o outro, que tem menos, assim como o rico, que sempre diz que rico é o outro, que tem mais. Sem aceitar o que somos, como ter argumentos para o que não somos?

Falta de cultura, de acesso, as quebradas destruídas por uma crise que fez o povo voltar a passar fome em pleno século XXI. Nunca se comeu bem, mas deixar de comer é mérito do governo atual. Engrossam-se as fileiras da miséria, as pessoas voltam a morar na rua, desempregadas, sem poder ir ao parente que também está na mesma condição.

Onde tinha uma calçada com o tradicional churrasquinho, agora vende-se coxinha, bolo, crepe suíço.

A crise pegou todos, mas aqui é onde tem seu retrato mais cru. E por que não deixar sair esse ódio?, mas da forma de comprar um argumento também de ódio, de separatismo, de preconceito, de sexismo. Tudo isso se compra quando o viver com dignidade se vai.

Não tem como exigir de um menino da favela tocar violino num lugar onde toca música funk; como vão gerar bons votos sem uma cultura do que é de verdade política?; sem o grêmio na escola, sem conversas sadias, e a cultura criminal cresce, porque crime aqui é cultura também.

Conversas que antes só rolavam no campo de futebol ou no fundo do bar, geralmente depois de uma bebedeira, agora estão livres pelas ruas, com suas frases rápidas, generalizadoras, de bandido bom é bandido morto, de tem que dar a vara e não o peixe, e por ai vai.

Que tinha que tomar vergonha na cara e parar de roubar trabalhador, tinha que roubar um banco, pra roubar um banco tem que ter um fuzil, um fuzil custa 50 mil, com isso se monta um comércio.

Argumentar que somos a parte que será mais oprimida cansou até a minha pessoa, imagina alguém que não está no meio dos debates, que só acredita nas pessoas, e quer um mundo melhor, mas, como diz o poeta, a dor dá mais ibope, chama mais atenção, é mais fácil do que falar do amor.

Acho que a alta do desemprego, a falta de poder ver um futuro, somadas à desilusão da política de forma geral gera algo como o que estamos vivendo.

Quando um caminhoneiro sobe no caminhão parado pelo protesto e grita pela intervenção militar, ele não quer viver rodeado de tanques e pedir licença para ir trabalhar. Quer sim poder pagar suas dívidas, seu aluguel, alimentar seus filhos e seguir sua vida, mas o caminho que acha para isso é pedir essa mudança.

Nenhuma mulher periférica de fato quer que a polícia saia matando geral, ela pede segurança para não ter o celular roubado enquanto espera no ponto de ônibus, para poder ir lavar, cozinhar, educar o filho da elite, enquanto em casa seu filho não terá nada disso.

O desespero torna o tom imediato, o grito abafado mais doloroso, porque uma parte da elite não sabe o que é ser de fato pobre, não ter acesso a nada, estar numa cadeira de rodas, olhando para uma escada gigantesca, com um letreiro brilhante em cima, escrito: meritocracia.

Comparar dor não é esforço de quem está no conforto, de quem desce da ladeira do privilégio todos os dias, de quem não sabe o que é mesa vazia, mente perdida, vidas sem esperança por todas as vielas que se cruza.

A pessoa vem tentando elogiar, e depois de algum tempo... "Mas vamos falar a verdade, hoje em dia não se pode falar nada, falei da negrinha ali e... Ops!"

O que você falou?
Por que negrinha?
Ela é pequena e não tem nome?
Tá falando de uma boneca ou de uma pessoa?
Você tem que entender quando falar de um homossexual com negatividade, com preconceito, com nojo como você diz, isso reflete em tudo, você jogou isso pro mundo – e aqueles ali em volta já pegam, já multiplicam, porque é mais fácil multiplicar a dor, principalmente se for do outro.

Isso culmina num espancamento, numa agressão e até na morte.
Mataram aquele cara lá de cima. "Ah! Aquele viadão?"
E tudo soa permitido, como a morte do menino que fumava um baseado: era viciado; filho de rico é *style*.

Palavras geram energia também, sua Bíblia é a prova, e no princípio existia o verbo.

Falam sobre violência, fazer sexo e odiar política.
Não é o tipo de coisa que dá pra se ensinar. Morar aqui e ter visão do que temos é tipo você viver mil anos e não ter noção, assim como ficamos surpresos com tantos confortos desse seu lado da cidade.

O relógio da periferia gira em outro horário.
Quando resolvi fazer uma literatura, fui logo pra "literatura do acordei", pois sabia que o tempo do favelado é curto, arriscado e muitas vezes trágico.

Trombei um menino que apesar de toda favela em volta não via nada, e claro que não via, o céu lá no alto, olha-se nas quebradas só pras mal terminadas casas, e se debate pelas quebradas, a cor como a nossa; então o fator cor e quem tem cor não age? Não consegue fazer embate? Tem que ser de esquerda? São sim refugiados, e não imigrantes, os manos e seus moletons com elástico nas pernas, os capuzes paras longas caminhadas, a bombeta e o sereno de madrugada.

E se tem gente contra, tudo bem, faça valer a primeira emenda, que esses que são contra, com certeza mergulhados no complexo super vira-lata, jamais vão enxergar um cão chupando manga e não sendo da gringolândia.

A grande indústria replica, dispara e contagia via TV, rádio, banca de jornais. O que temos a nosso favor? Nenhuma representatividade. Nenhum artista que fale o que entendemos, nenhum político com papo reto pra poder votar com a certeza de que tudo um dia, um dia pode melhorar.

Ser representado por gente que nunca sofreu na vida, que tem o descrédito de ser regional sim, pois moram todos no mesmo quadrilátero caro de São Paulo.

Dizer "não" é respeitar o outro também. Não responder é uma forma de te negar prosseguir com outras oportunidades. Mas o silêncio é uma arma, não deixe eles andarem por aí carregados com sua covardia, argumento, vá pro embate, quebre as frases prontas, jogue a realidade na cara de Nutella deles.

Bora avisar que chegou o dia, gritar nos ouvidos sem utilidades deles, que nunca vi eles criarem nada.

A real é que a periferia não é uma coisa só, ela é tão facetada que não dá para registrar, para ser fiel ao que ela pensa. Como chega gente de todo lado, de toda vivência, com todo tipo de experiência e carência, gente que fica e gente que vai embora, gente que chega a milhão e uns que vão voando embora. Só uma coisa é previsível, e isso é lógico, mesmo a longo tempo. O caos.

A produção do inimigo e a insistência do Brasil violento e de exceção
Edson Teles

Na véspera da audiência de julgamento do *habeas corpus* ao ex-presidente Lula, o general Eduardo Villas Bôas perguntou "às instituições e ao povo quem realmente está pensando no bem do país e das gerações futuras". As palavras do comandante do Exército, instituição que esteve à frente da ditadura, repercutiram como ameaças ao Supremo Tribunal Federal (STF), o qual, ao final, negou a solicitação, em 4 de abril de 2018. O militar ainda disse que "se mantém atento às suas missões institucionais" e, enquanto representante dos "cidadãos de bem", está pronto para intervir em defesa da ordem[1].

Nos anos 1960, acrescentou o comandante do Exército, o Brasil permitiu que a "linha de confrontação da Guerra Fria dividisse a nossa sociedade", o que teria imposto a intervenção militar de 1964. "E, hoje, o momento é de linhas de fratura, o que exige a recuperação de uma coesão nacional, o restabelecimento de uma ideologia de desenvolvimento e um sentido de projeto, para que

---

[1] Cf. "Comandante do Exército diz que compartilha 'anseio de repúdio à impunidade'", *G1*, 03 abr. 2018, disponível online, acessado em 20 jul. 2018.

as gerações futuras não venham a passar o que ocorreu há cinquenta anos."[2] Em tom intimidatório, igualou o discurso de segurança nacional durante a ditadura, de combate aos "subversivos", com a ficção de um sujeito imaginário contrário à pátria nos dias atuais.

Ao menos desde junho de 2013, intensificaram-se as ações de militarização da vida e da política, ações essas que foram fortalecidas com o golpe de 2016 contra a presidenta Dilma Rousseff. Isso ocorre por meio da lógica, própria ao período da ditadura militar, da produção do inimigo interno às relações sociais, o qual é caracterizado como ameaça à ordem e à paz.

Nossa hipótese é a de que certos regimes de produção de subjetividades binárias e antagônicas, aliados às condições históricas de dominação, implicam fortalecimento e incremento de estratégias e tecnologias de controle social. Diante de uma sociedade racista, patriarcal e etnocida, estruturada para favorecer os proprietários e as velhas e novas oligarquias, experimentam-se modos de anular ou de destruir qualquer prática de resistência.

No Brasil, mais de 60 mil pessoas são vítimas de homicídio a cada ano[3]. São mortes com características próprias, tanto em seus aspectos territoriais, quanto em relação ao perfil socioeconômico e racial. Os dados mostram um acentuado aumento da letalidade, já que na década anterior (anos 2000) a taxa média ficava entre 50 mil e 55 mil homicídios ao ano. Nesse cenário, destacam-se as violações de direitos cometidas por agentes de segurança pública, justamente quem deveria ou poderia diminuir tais índices.

As vítimas endêmicas da violência urbana são jovens negros e pobres das periferias, bem como mulheres. Um jovem negro tem 147% mais chances de sofrer homicídio do que um branco. O país supostamente cordial e democrático tem três mulheres assassinadas por dia. Na maioria, mulheres negras. Segundo pesquisa da Flacso, entre 2003 e 2013 a morte violenta de mulheres negras aumentou 54%, enquanto a de mulheres brancas diminuiu 9,8%.

Genocídio do negro, feminicídio e etnocídio, entre outras graves violações, são as marcas de uma sociedade bélica, ainda que astuta o suficiente para se declarar respeitosa das diferenças e racialmente democrática. Se somarmos o fato de que os próximos anos serão de graves dificuldades no acesso aos direitos trabalhistas, com Previdência Social cada vez menos eficaz e um

---

[2] Cf. "Momento do país exige recuperação da coesão nacional, diz general Villas Bôas", *O Estado de S. Paulo*, 06 jul. 2018, disponível online, acessado em 20 jul. 2018

[3] Estão computados os óbitos por agressão e os causados por intervenção legal. Cf. *Atlas da Violência 2018* (Rio de Janeiro, Ipea/FBSP, 2018).

mundo do trabalho escasso e precarizado, a violência tende a piorar. O círculo vicioso – habitação, escola, saúde, trabalho – produz um racismo (e sexismo) naturalizado e estabelecido como o normal nas práticas sociais. Assim, a forma violenta de sociabilidade configura-se no senso comum como a normalidade.

A expressão "sensação de insegurança" tem se tornado o bordão mais ouvido e falado quando o assunto é segurança pública. Parece-nos que ela pode ser lida como a representação do medo instalado nas subjetividades e que as conduzem a desejarem medidas duras contra os perigos do cotidiano. Reverberando a violência naturalizada, demandam-se ações policiais fora dos padrões de dignidade humana e a criação de leis com ainda maior poder punitivo.

O medo que emerge através da percepção de fragilidade serve como um dispositivo de governo e autoriza o uso de força desmedida por parte das instituições. Tal como em um laboratório, experimenta-se a produção de modos de vida apoiados no risco, ao mesmo tempo que se realiza a montagem de um Estado securitário como remédio.

Há décadas a gestão da segurança pública aposta na militarização da vida e na estratégia da guerra. O resultado tem sido o aumento da violência e a criação de territórios nos quais o Estado aterroriza suas populações. É o caso, por exemplo, das favelas, das periferias pobres, das ocupações de movimentos de luta por moradia, dos presídios. Nesses espaços, o Estado age com desmesura. Sob a justificativa de restabelecer a ordem, acionam-se medidas de exceção a partir de mecanismos jurídicos[4].

Quanto mais o Estado é violento, mais o quadro social se apresenta como de crise causada pela criminalidade e mais se autoriza o investimento em ações extralegais. Do ponto de vista da gestão da vida, é mais efetiva a desordem do que relações harmônicas. Assim, faz-se necessário a disseminação de subjetividades agressivas, seja qual for o alvo (podendo até mesmo ser o próprio

---

[4] Os estados de exceção, como hoje sabemos muito bem, funcionam a partir dos ordenamentos dos estados de direito, cumprindo os objetivos de satisfazer uma necessidade, acionados subjetivamente (um comando policial, um grupo de congressistas, meia dúzia de juízes) e, invariavelmente, com efeitos políticos nefastos. Trata-se de suspender o lícito em favor do ilícito. Porém, diferentemente do que muitos de nós teimávamos em desacreditar, seu acionamento se dá a partir das leis dos regimes democráticos. Há nestas constituições os mecanismos necessários para liberar o autoritário, tornando-o indistinto em relação ao democrático. Vimos esse processo no golpe contra a presidenta Dilma Rousseff. Cf. Giorgio Agamben, *Estado de exceção* (São Paulo, Boitempo, 2004).

Estado ou a própria ordem), para se manter o discurso de militarização e pacificação[5]. Há nesse processo a eficaz estruturação de uma sociedade de controle, disciplinamento e punição, cujo cidadão, domesticado e submisso, deve se tornar ainda mais produtivo e ser anulado enquanto potência transformadora.

O Estado tornou-se multifacetado, aprofundou e desenvolveu suas técnicas e tecnologias de governo e, principalmente, ampliou sua rede de ação. Seja na posse latifundiária e industrial das terras, na criação e aperfeiçoamento das polícias militares, na reprodução de um sistema de transporte público de contenção da livre circulação, na manipulação dos sistemas educacionais e de saúde de modo a favorecer as grandes corporações[6] ou na estrutura urbana de habitação extremamente desigual, são várias as fisionomias dos dispositivos autoritários de administração e domínio.

A militarização vem num crescente desde a promulgação da Constituição, em 1988. Na nova Carta Magna pouco se alterou a abordagem dos temas relativos à segurança pública e nacional em relação ao período ditatorial[7]. A cada novo governo da democracia pós-ditadura, mais instrumentos de militarização foram sendo acionados a partir de dispositivos legais precariamente regulamentados[8].

---

[5] Trabalhei a astúcia do uso do discurso de pacificação e de reconciliação no processo de militarização na democracia em Edson Teles, *O abismo na história: ensaios sobre o Brasil em tempos de comissão da verdade* (São Paulo, Alameda, 2018).

[6] As corporações privadas ou públicas têm imposto modelos de ensino contrários à democracia e à diversidade, visando satisfazer seus interesses de mercado, no mundo do trabalho e, até mesmo, de ideologias militares. É o caso de uma escola pública gerida pela Polícia Militar, em Goiás. Diariamente, os alunos passam por "revistas" feitas por policiais "na porta da escola, que costumam barrar meninas com esmalte nas unhas ou cabelos soltos e rapazes com costeleta fora do padrão ou barba e bigode por fazer". Havendo alguma infração, o aluno pode ser levado para a sala do diretor, um tenente-coronel, cujas paredes são "adornadas por 30 cabeças de caveira de plástico e metal". A descrição das práticas de ensino em escolas administradas por militares é feita por Patrik Camporez, "Número de escolas públicas 'militarizadas' no país cresce sob o pretexto de enquadrar os alunos", *Época*, 23 jul. 2018, disponível online, acessado em 2 ago. 2018.

[7] Cf. Edson Teles e Vladimir Safatle, *O que resta da ditadura. A exceção brasileira* (São Paulo, Boitempo, 2010).

[8] A ONG Artigo19 publicou um infográfico sobre a intensificação dos mecanismos de restrição ao direito de protesto nos últimos cinco anos (2013-2018). Segundo o documento, "desde junho de 2013, marco inicial desta análise, a repressão policial mesclou-se a outras iniciativas de limitação à liberdade de expressão e ao direito de manifestação, a exemplo de propostas legislativas e decisões judiciais restritivas". São "sofisticadas restrições, marcadas ainda pela

São operações que desfazem as separações jurídicas e éticas entre o legítimo e o ilegítimo, o democrático e o autoritário. Estes dispositivos encontram-se cada vez mais disseminados e assumem caráter permanentes. Tais formas de contenção emergem com base na construção de perfis e comportamentos de territórios e coletivos, aos quais são atribuídos qualificações e graus de risco à ordem.

Momento máximo da militarização foi a intervenção federal no Rio de Janeiro, a partir de fevereiro de 2018. Sob a alegação de uma explosão da violência urbana[9], o presidente Temer, na prática, entregou a gestão do Estado aos militares, fazendo eco às forças conservadoras. O mecanismo constitucional acionado paralisou os trabalhos do Congresso Nacional, o qual aprovou sua própria capitulação com a ampla votação a favor do decreto intervencionista (340 votos a favor e 72 contra na Câmara dos Deputados, em 19 de fevereiro de 2018). De acordo com a legislação, não se pode votar emendas à Constituição enquanto durar o procedimento no Rio de Janeiro. Com isto, o governo se eximiu da incapacidade de aprovar a Reforma da Previdência e procurou desviar o foco das eleições presidenciais para a questão da segurança pública, evitando o debate sobre a quebra do frágil processo democrático.

Contudo, não nos parece que isso indique a existência de um projeto político conservador centralizado. Nem mesmo que a ditadura não tenha sido derrotada e permaneça nas instituições do Estado. Não se trata apenas de algo que permaneceu, mas de uma estrutura autoritária, institucional e também pulverizada nas variadas formas de relações sociais que têm se sofisticado nas últimas décadas.

---

articulação institucional entre os poderes Executivo, Legislativo e o sistema de Justiça". O documento *5 anos de Junho de 2013: como os três poderes intensificaram sua articulação e sofisticaram os mecanismos de restrição ao direito de protesto nos últimos 5 anos* está disponível online.

[9] No momento da intervenção, o Estado do Rio de Janeiro era a 11ª unidade da federação em homicídios (37,6 mortes por 100 mil habitantes contra 60 por 100 mil no Sergipe). Assim como os índices de homicídios, roubos e outras formas de violência urbana já foram expressivamente maiores em outros momentos no Rio de Janeiro. Nos anos 1990, eram 60 homicídios por 100 mil habitantes; no começo dos anos 2000, 55 por 100 mil. Acrescente-se o fato de que intervenções militares ocorrem faz anos e com resultados negativos na redução da violência: foram várias ações de Garantia da Lei e da Ordem (GLO), como no Complexo do Alemão, de 2010 a 2012, na Maré entre 2014 e 2015 e na Rocinha a partir de setembro de 2017. Isto somente para citar intervenções com uso das Forças Armadas. De fato, a violência que mais vem crescendo é a decorrente de ação policial: saltou de 416 mortes por intervenção policial em 2013 para 1.124 em 2017. Cf. Silvia Ramos (coord.). *À deriva: sem programa, sem resultado, sem rumo* (Rio de Janeiro, Observatório da Intervenção/CESeC, abril de 2018).

Além das perguntas sobre o que resta da ditadura e acerca do que foi produzido pelo golpe institucional contra a presidenta Dilma Rousseff seriam salutares questões sobre qual paradigma, quais técnicas ou tecnologias de governo, com quais arquiteturas e engenharias políticas a democracia (e, hoje, o que sobrou dela) produziu e intensificou as estratégias de dominação? A quem serve, quem se fortalece, quem é silenciado? Qual saber é autorizado e qual é desqualificado nas atuais artimanhas conservadoras?

A sinergia entre operações de guerra às drogas, de repressão às manifestações, de higienização social e de eliminação ou descarte de vidas nas favelas e nos territórios pobres é a confirmação maior da militarização. E quem produziu os territórios apropriados para sofrer a intervenção são os que estão à frente da gestão da vida. É uma política que já vem sendo testada nos conflitos de terra, nas periferias das grandes cidades, nos entornos de estádios, nos megaeventos esportivos, seja com ações diretas ou, o que é mais comum, com a ausência de serviços e políticas públicas, alimentando-se a condensação do emergencial e do abjeto em territórios minoritários, desqualificados e não autorizados pela ordem. Em seguida, faz-se uso dessa condição para liberar a exceção violenta e autoritária.

O pano de fundo da militarização na história recente é a ideologia do inimigo interno elaborada na ditadura e potencializada nas últimas décadas[10]. A democracia manteve a concepção de segurança pública como a guerra contra o inimigo, este variando entre "bandidos", militantes de movimentos sociais, jovens negros e pobres, loucos, traficantes, pessoas LGBTIs, indígenas. Em junho de 2013 e em outros momentos de conflitos fora da média aceita pelas políticas de contenção (ocupações secundaristas, "Não vai ter Copa", "Fora Temer", luta por moradia), combinou-se a repressão policial com a produção do inimigo e o elogio de um poder higienizante e pacificador[11].

---

[10] A Doutrina de Segurança Nacional surgiu nas Forças Armadas brasileiras a partir dos contatos com os militares norte-americanos, desde as ações da Força Expedicionária Brasileira (FEB), ainda na Segunda Guerra Mundial. Sua elaboração e divulgação em discurso ideológico ficaram sob o mando da Escola Superior de Guerra (ESG), instituição ligada ao Ministério da Defesa. Sob a justificativa de combate ao comunismo e aos subversivos, os militares organizaram, junto com setores civis, um forte aparato repressivo no qual o "inimigo" a ser combatido não viria do exterior, invadindo as fronteiras do país, mas estaria nas ações dos próprios brasileiros.

[11] Em julho de 2018, em um claro ato de criminalização das lutas sociais, 23 ativistas que participaram das manifestações de junho de 2013 e dos protestos contra a Copa do Mundo foram condenados a penas entre cinco e sete anos de prisão por crimes de formação de quadrilha, lesão corporal, dano qualificado e corrupção de menores.

Cria-se, de um lado, o "cidadão de bem", trabalhador (ou proprietário) e ordeiro e, de outro, o vagabundo, vândalo, drogado, arruaceiro, o indivíduo fora das bordas que delimitam o possível autorizado pela ordem. Por meio da combinação do medo com a percepção de uma força acima das leis, legitima-se a violência. A norma se impõe pela força (e apoia-se nas leis) e sua lógica é a da produção do anormal, do patológico, em relação ao qual ela deve agir com rigor para curá-lo, eliminá-lo ou, ao menos, anulá-lo.

As resistências passam a ser tratadas como indesejáveis, perigosas e perniciosas ao corpo social. Os atos bélicos dirigem-se contra essas subjetividades e suas ações e performances de abertura. É também uma guerra de subjetivação. Contra as subjetividades das experimentações de múltiplas práticas, dos habitantes dos morros e das periferias, dos afetos proibidos e das anormalidades.

É justamente nas ranhuras e porosidades do cotidiano, onde a violência busca suprimir ou conduzir os desejos de transformação, que se criam as mais eficazes estratégias de resistência. A militarização da vida, segundo o discurso pacificador dos "cidadãos de bem", tem como alvo subjetividades revolucionárias (os corpos em luta, em especial os dos negros, dos pobres e das mulheres), as mesmas que criam e acumulam saberes das revoltas sociais e das práticas de sobrevivência.

Sustentamos que a militarização não se restringe à presença de forças de segurança na esfera pública. Trata-se do termo de definição das redes que infinitamente derivam em conexões de forças descentralizadas. Referimo-nos aos discursos, estratégias, instituições, arquiteturas, performances, representações, entre tantos outros artefatos que eventualmente possam relacionar e efetivar técnicas e tecnologias de condução das subjetividades. Assim, não existiria um ponto central ou de intersecção das estratégias e ações do militarismo. A estrutura repressora do Estado e o governo das subjetivações cristalizam os elementos de dominação, fundamentalmente em torno do racismo, do patriarcalismo e da diferença de classes.

O termo militarismo parece propício para descrever as formas autoritárias, pois tem a potência de conjuminar o discurso da guerra e as estratégias de combate ao inimigo. Ademais, remete ao histórico violento de controle, na medida em que se refere às instituições militares, as quais estiveram à frente da ditadura e de outros momentos de agressão do Estado contra coletivos em luta ou em resistência.

Buscamos demonstrar como a militarização, e toda a violência que dela deriva, fomenta as práticas autoritárias e conservadoras, bem como delas depende para ser eficaz. Entretanto, a proliferação de novas relações, comportamentos e vivências políticas pode ser o prenúncio de potências criativas de resistência. Se a norma procura negativar tudo o que não lhe é próprio, as anomalias indicam modos diferentes de lidar com as adversidades.

Precisamos falar da "direita jurídica"
Rubens Casara

O direito, entendido tanto como um sistema normativo quanto como um conjunto de teorias e práticas, costuma ser apresentado como um obstáculo à transformação social[1]. Isso porque as formas jurídicas (e o Estado é a principal "forma jurídica"[2]) servem à manutenção das estruturas de poder.

Ao produzir a norma a ser aplicada a um determinado caso concreto, os atores jurídicos partem (ou deveriam partir) dos textos legais, que são produtos culturais condicionados pelos valores dominantes no contexto em que foram produzidos. Há, portanto, um evento comprometido com o passado que não pode ser ignorado. E isso, por si só, permite afirmar a tendência conservadora do sistema de justiça.

Mas, não é só. Há outro óbice hermenêutico para uma atuação transformadora no âmbito do sistema de justiça: a aplicação (função que é sempre criativa) do direito está condicionada pela tradição em que os intérpretes estão inseridos. Há uma diferença ontológica entre o texto e a norma jurídica

---

[1] Eduardo Novoa Monreal, *O direito como obstáculo à transformação social* (Porto Alegre, Safe, 1988).

[2] Alysson Leandro Mascaro, *Estado e forma política* (São Paulo, Boitempo, 2013).

produzida pelo intérprete. A norma é sempre o produto da ação do intérprete condicionada por uma determinada tradição. A compreensão e o modo de atuar no mundo dos atores jurídicos ficam comprometidos em razão da tradição em que estão lançados. Existem intérpretes que carregam uma pré--compreensão inadequada à democracia (em especial, a crença no uso da força e o medo da liberdade) e, com base nos valores em que acreditam, produzem normas autoritárias, mesmo diante de textos tendencialmente democráticos.

No Brasil, os atores jurídicos estão lançados em uma tradição autoritária que não sofreu solução de continuidade após a redemocratização formal do país com a Constituição de 1988. A naturalização da desigualdade e da hierarquização entre as pessoas, um dos legados da escravidão, por exemplo, continuam a ser percebidos na sociedade brasileira e, em consequência, também influenciam a produção das normas. Mas, não é só. No Brasil, os atores jurídicos que serviam aos governos autoritários continuaram, após a redemocratização formal do país, a atuar no sistema de justiça com os mesmos valores e a mesma crença no uso abusivo da força que condicionavam a aplicação do direito no período de exceção.

Nas estruturas hierarquizadas das agências que atuam no sistema de justiça, os concursos de seleção e as promoções nas carreiras ficam a cargo dos próprios membros dessas instituições, o que também contribui para a reprodução de valores e práticas comprometidos com o passado. O conservadorismo, porém, acabava disfarçado através do discurso da neutralidade das agências do sistema de justiça. Interpretações carregadas de valores conservadores eram apresentadas como resultado da aplicação neutra do direito.

Após a Segunda Guerra Mundial aumentou substancialmente a importância das agências estatais que compõem o sistema de justiça. O Poder Judiciário, em particular, passou a ser apresentado como o órgão estatal encarregado de garantir o Estado democrático de direito, modelo de Estado que se caracterizava pela existência de limites rígidos ao exercício do poder e de evitar a barbárie. Não funcionou. A tendência democratizante das Constituições foi ignorada. E, em pouco tempo, os limites que caracterizavam o Estado democrático foram relativizados. Instaurou-se a pós-democracia.

Não se pode, pois, pensar a atuação dos juízes e demais atores jurídicos desassociada da tradição em que estão inseridos. Há uma relação histórica e ideológica entre o processo de formação da sociedade brasileira e as práticas observadas. Pode-se apontar que, em razão de uma tradição marcada pelo colonialismo e a escravidão, na qual o saber jurídico e os cargos no Poder Judiciário eram utilizados para que os rebentos da classe dominante pudessem se impor perante a sociedade, sem que existisse qualquer forma de controle democrático dessa casta, gerou-se um sistema de justiça marcado por uma ideologia patriarcal e patrimonialista, constituída por valores que se caracterizam por definir lugares sociais e de poder, nos quais à exclusão do outro e a confusão entre o público e o privado somam-se o gosto pela ordem.

A esperança depositada no sistema de justiça, que deveria ser um espaço de garantia da democracia, cedeu rapidamente diante do indisfarçável fracasso em satisfazer os interesses daqueles que recorrem a ele. Torna-se gritante a separação entre as expectativas geradas e os efeitos da atuação dos atores jurídicos no ambiente democrático. Não raro, para dar respostas às crescentes demandas, as agências do sistema de justiça recorrem a uma concepção política pragmática que faz com que ora se utilizem de expedientes técnicos para descontextualizar conflitos e sonegar direitos, ora recorram a instrumentos típicos do autoritarismo para manter a ordem.

Na medida em que cresce a atuação do Poder Judiciário, diminui a ação política, naquilo que se convencionou chamar de ativismo judicial. Isso revela um aumento da influência de juízes e tribunais nos rumos da vida brasileira, fenômeno correlato à crise de legitimidade de todas as agências estatais. Percebe-se, pois, claramente que o sistema de justiça tornou-se um *locus* privilegiado da luta política.

O distanciamento da população faz com que o Judiciário e o Ministério Público sejam vistos como agências seletivas a serviço daqueles capazes de deter poder e riqueza. Se, por um lado, pessoas dotadas de sensibilidade democrática são incapazes de identificar nessas agências um instrumento de construção da democracia, por outro, pessoas que acreditam em posturas fascistas aplaudem juízes e outros agentes políticos que atuam a partir de uma epistemologia autoritária. Não causa surpresa que parcela dos meios de comunicação de massa procure construir a representação do "bom juiz" a partir dos seus preconceitos e de sua visão descomprometida com a democracia. Não se pode esquecer que a mídia tem a capacidade de fixar sentidos e reforçar ideologias, o que interfere na formação da opinião pública e na construção do imaginário social. Assim, o "bom juiz", construído por essas empresas como herói, passa a ser aquele que considera os direitos fundamentais como óbices à eficiência do Estado ou do mercado.

O distanciamento em relação à população gerou em setores do Poder Judiciário uma reação que se caracteriza pela tentativa de produzir decisões judiciais que atendam à opinião pública (ou, ao menos, aos anseios externados na opinião publicada pela mídia). Tem-se o chamado "populismo judicial", isto é, o desejo de agradar ao maior número de pessoas possível através de decisões judiciais (ou às corporações que constroem a opinião pública), como forma de popularizar a Justiça, mesmo que para tanto seja necessário violar direitos e garantias fundamentais. Assim, juízes passaram a priorizar a hipótese à qual a mídia aderiu em detrimento dos fatos. A verdade tornou-se dispensável e, por vezes, inconveniente.

Mas, a transformação da tendência conservadora dos atores do sistema de justiça em práticas explicitamente ligadas ao espectro da chamada "nova direita" se dá a partir da adesão do mundo jurídico à racionalidade neoliberal[3]. Essa racionalidade está na base do Estado pós-democrático, em que desaparecem limites ao exercício do poder econômico. Com o empobrecimento subjetivo e a mutação do simbólico produzidos pela razão neoliberal, que leva tudo e todos a serem tratados como objetos negociáveis, os valores da jurisdição penal democrática ("liberdade" e "verdade") sofreram profunda alteração para muitos atores jurídicos. Basta pensar no alto número de prisões contrárias à legislação (como as prisões decretadas para forçar "delações premiadas"), nas negociações com acusados em que "informações" (por evidente, apenas aquelas "eficazes" por confirmar a hipótese acusatória) são trocadas pela liberdade dos imputados, dentre outras distorções.

O neoliberalismo é, na verdade, um modo de ver e atuar no mundo que se mostra adequado a qualquer ideologia conservadora e tradicional. O projeto neoliberal é apresentado e vendido como uma política de inovação, de modernização, quando não de ruptura com práticas antigas. A propaganda neoliberal, de fórmulas mágicas e revolucionárias, torna-se no imaginário da população a nova referência de transformação e progresso. O neoliberalismo, porém, propõe mudanças e transformações com a finalidade de restaurar uma "situação original" e mais "pura", onde o capital possa circular e ser acumulado sem limites[4]. Os movimentos neoconservadores aparecem, então, como fundamentais ao projeto neoliberal porque se torna necessário "compensar" os efeitos perversos (e desestruturantes) do neoliberalismo através de uma retórica excludente e aporofóbica, bem como de práticas autoritárias de controle da população indesejada.

A racionalidade neoliberal altera também as expectativas acerca do próprio Poder Judiciário. Desaparece a crença em um poder comprometido com

---

[3] Ver Pierre Dardot e Christian Laval, *A nova razão do mundo: ensaio sobre a sociedade neoliberal* (São Paulo, Boitempo, 2016).

[4] Nesse sentido, conferir Christian Laval, *Foucault, Bordieu et la question néolibérale* (Paris, La Découverte, 2018), p. 226.

a realização dos direitos e garantias fundamentais. O Poder Judiciário, à luz da razão neoliberal, passa a ser procurado como um mero homologador das expectativas do mercado ou como um instrumento de controle tanto dos pobres, que não dispõem de poder de consumo, quanto das pessoas identificadas como inimigos políticos do projeto neoliberal.

Dos sintomas autoritários na Magistratura

A partir das características da personalidade autoritária identificadas por Adorno[5] em 1950, é possível apontar indícios de que também a potencialidade fascista de juízes brasileiros é um risco à democracia, em especial porque caberia ao Poder Judiciário impor limites ao arbítrio e não agir como fator antidemocrático.

Adorno identificou uma série de características que revelam uma disposição ao uso da força em detrimento do conhecimento e à violação dos valores democráticos. Basta prestar atenção em decisões e declarações produzidas por magistrados brasileiros para perceber que essas características se encontram presentes em significativa parcela dos juízes. Na magistratura brasileira podem ser encontrados, dentre outros sintomas:

- O **convencionalismo**: aderência rígida aos valores da classe média, mesmo que em desconformidade com os direitos e garantias fundamentais inscritos na Constituição da República. Assim, se é possível encontrar na sociedade brasileira, notadamente na classe média, apoio ao linchamento de supostos infratores ou à violência policial, o juiz autoritário tende a julgar de acordo com opinião média e naturalizar esses fenômenos.

- A **agressão autoritária**: tendência a ser intolerante, estar alerta, condenar, repudiar e castigar as pessoas que violam os valores "convencionais". O juiz antidemocrático, da mesma forma que seria submisso a pessoas consideradas "superiores" (componente masoquista da personalidade autoritária), seria agressivo com aquelas que rotula inferiores ou diferentes (componente sádico). Como esse tipo de juiz se mostra incapaz de fazer qualquer crítica consistente aos valores convencionais, tende a castigar severamente quem os viola.

---

[5] Theodor W. Adorno, "Estudios sobre la personalidad autoritaria", em *Obra completa*, v. 2: *Escritos sociológicos* (Madrid, Akal, 2009).

- A **anti-intracepção**: oposição à mentalidade subjetiva, imaginativa e sensível. O juiz autoritário tende a ser impaciente e ter uma atitude em oposição ao subjetivo e ao sensível, insistindo com metáforas e preocupações bélicas e desprezando análises que busquem a compreensão das motivações e demais dados subjetivos do caso. Por vezes, a anti-intracepção manifesta-se pela explicitação da recusa a qualquer compaixão ou empatia.
- O **pensamento estereotipado**: tendência a recorrer a explicações hipersimplistas de eventos humanos, o que faz com que sejam interditadas as pesquisas e ideias necessárias para uma compreensão adequada dos fenômenos. Correlata a essa "simplificação" da realidade, há a disposição para pensar mediante categorias rígidas. O juiz autoritário recorre ao pensamento estereotipado, fundado com frequência em preconceitos aceitos como premissas.
- A **dureza**: preocupação em reforçar a dimensão domínio-submissão somada à identificação com figuras de poder ("o poder sou Eu"). A personalidade autoritária afirma desproporcionalmente os valores "força" e "dureza", razão pela qual opta sempre por respostas de força em detrimento de respostas baseadas na compreensão dos fenômenos e no conhecimento. Essa ênfase na força e na dureza leva ao anti-intelectualismo e à desconsideração dos valores atrelados à ideia de dignidade humana.
- A **confusão entre acusador e juiz**: é uma característica historicamente ligada ao fenômeno da inquisição e à epistemologia autoritária. No momento em que o juiz protofascista se confunde com a figura do acusador e passa a exercer funções como a de buscar confirmar a hipótese acusatória, surge um julgamento preconceituoso com o comprometimento da imparcialidade. Tem-se, então, o primado da hipótese sobre o fato. A verdade perde importância diante da "missão" do juiz, que aderiu psicologicamente à versão acusatória.

Conclusão

A tradição em que os atores jurídicos estão inseridos, as práticas autoritárias e a adesão à racionalidade neoliberal são fatores que permitem identificar uma "direita jurídica", para além dos casos caricatos de atores jurídicos repetindo mantras neoconservadores nas redes sociais. Diante desse quadro, é importante reconhecer, também nesse campo, a importância da luta política.

O discurso econômico da austeridade e os interesses velados
Pedro Rossi e Esther Dweck

O discurso da austeridade ganhou destaque após a crise internacional de 2008. Na Inglaterra, enquanto o líder conservador David Cameron proclamou que o país entrava na "Era da Austeridade", o debate econômico dividiu-se entre defensores e críticos da medida. Em 2010, o dicionário *Merriam-Webster's*, um dos mais importantes da língua inglesa, elegeu a palavra "austeridade" como a palavra do ano, com base no número de pesquisas que a palavra gerou na internet. Com o aprofundamento da crise na Europa e a imposição de planos de austeridade aos países da periferia, cresceram pelo mundo os movimentos antiausteridade, assim como o debate acadêmico em torno do tema[1].

"Austeridade" não é um termo de origem econômica; a palavra deita raízes na filosofia moral e aparece no vocabulário econômico como um

---

[1] Para uma discussão da literatura e das experiências históricas austeras, ver Mark Blyth, *Austeridade: a história de uma ideia perigosa* (São Paulo, Autonomia Literária, 2017). Para um debate sobre os impactos sociais da austeridade no Brasil, ver Pedro Rossi, Esther Dweck e Ana Luiza Matos de Oliveira (orgs.), *A economia para poucos: impactos sociais da austeridade e alternativas para o Brasil* (São Paulo, Autonomia Literária, 2018).

neologismo que se apropria da carga moral do termo, especialmente para exaltar o comportamento associado ao rigor, à disciplina, aos sacrifícios, à parcimônia, à prudência e à sobriedade, além de reprimir comportamentos dispendiosos, insaciáveis, pródigos, perdulários.

Por associação, no plano econômico, a austeridade é a política que busca, por meio de um ajuste fiscal, preferencialmente por cortes de gastos, ajustar a economia e promover o crescimento. O sacrifício, supostamente imposto ao conjunto da sociedade, é recompensado com crescimento, assim como o indivíduo austero se beneficia de sua poupança. Há, portanto, uma clara transposição, sem as adequadas mediações, das supostas virtudes do indivíduo para o plano público, atribuindo características humanas ao governo e personificando-o.

No entanto, as experiências históricas mostram que a austeridade é contraproducente, pois tende a provocar queda no crescimento e aumento da dívida pública, resultado contrário ao que se propõe. Além disso, a austeridade é seletiva, pois impõe sacrifícios para a parcela mais vulnerável da população, que é a que mais sofre com o desemprego e com os cortes de gastos e transferências sociais.

No Brasil, o discurso da austeridade tem justificado os cortes de gastos sociais e reformas estruturais. Esse discurso, no entanto, apesar de propagar uma alegada sabedoria convencional, se ampara em mitos fantasiosos e dogmas imunes às evidências.

Um discurso baseado em mitos

O discurso da austeridade é acompanhado de duas ideias extremamente questionáveis, conhecidas pelos críticos como i) a metáfora do orçamento doméstico e ii) a fada da confiança.

Comecemos pelo primeiro deles.

Na retórica da austeridade, é muito comum a comparação do orçamento público com o orçamento doméstico. Assim como uma família, o governo não deve gastar mais do que ganha, diz o argumento. Logo, diante de uma crise e de um aumento das dívidas, deve-se passar por sacrifícios e por um esforço de poupança. No caso brasileiro, é comum a análise de que os excessos (de gastos sociais, de aumento de salário mínimo, de intervencionismo estatal etc.) estão permanentemente cobrando *sacrifícios necessários*[2]. Como na fábula da cigarra

---

[2] Por exemplo, o presidente do Banco Central, Ilan Goldfajn, afirmou em entrevista que "a atual recessão foi provocada por anos de excessos". Ver Cristiano Romero, "Desta vez, é diferente: 'confiança está voltando', diz presidente do Banco Central", *Valor Econômico*, 08 fev. 2017.

e da formiga, os excessos serão punidos e os sacrifícios, recompensados. Há um argumento moral de que os anos de excessos devem ser remediados com abstinência e sacrifícios, e a austeridade é o remédio.

No entanto, essa comparação entre o orçamento público e o familiar não é apenas parcial e simplificadora, mas essencialmente equivocada. Isso porque desconsidera três fatores essenciais. O primeiro é que o governo, diferentemente das famílias, tem a capacidade de definir seu orçamento. A arrecadação de impostos decorre de uma decisão política e está ao alcance do governo, por exemplo, tributar pessoas ricas ou importações de bens de luxo para não fechar hospitais. Ou seja, enquanto uma família não pode definir o salário que recebe, o orçamento público decorre de uma decisão coletiva sobre quem paga e quem recebe, quanto paga e quanto recebe.

O segundo fator que diferencia o governo das famílias é que, quando o governo gasta, parte dessa renda retorna sob a forma de impostos. Ou seja, ao acelerar o crescimento econômico com políticas de estímulo, o governo está aumentando também a sua receita. E, como visto, o gasto público em momentos de crise econômica, principalmente com alto desemprego e alta capacidade produtiva ociosa, incentiva/promove a ocupação da capacidade, reduz o desemprego e gera crescimento. Por fim, o terceiro fator não é menos importante: as famílias não emitem moeda, não têm capacidade de emitir títulos em sua própria moeda e não definem a taxa de juros das dívidas que pagam. Já o governo faz tudo isso.

Portanto, a metáfora que compara os orçamentos público e familiar é dissimulada e desvirtua as responsabilidades que a política fiscal tem na economia em seu dever de induzir o crescimento e amortecer os impactos dos ciclos econômicos na vida das pessoas. A administração do orçamento do governo não somente *não deve* seguir a lógica do orçamento doméstico como deve seguir a lógica *oposta*. Quando famílias e empresas começam a contrair gastos, o governo deve ampliar gastos seus, de forma a contrapor o efeito contracionista do setor privado.

Isto posto, passemos ao segundo discurso, da fada da confiança. O pressuposto teórico para o sucesso das políticas de austeridade é o aumento da confiança dos agentes privados. A austeridade seria o instrumento e a solução para restaurar a confiança do mercado que, por sua vez, seria causadora de crescimento econômico. Na retórica austera, a busca pela confiança do mercado é muito presente tanto no exterior como no Brasil – são inúmeros os exemplos em que a equipe econômica evoca esse tema como justificativa para cortes de gastos, como em 2016, quando Henrique Meirelles estabeleceu que o "desafio número 1" seria a retomada da confiança[3], ou menos de dois anos antes, quando Joaquim Levy declarou que "alcançar essa meta será fundamental para o aumento da confiança na economia brasileira"[4], ou, ainda, em 2018, quando Michel Temer citou "confiança" como a palavra-chave que permitiria a retomada do crescimento econômico no país[5].

Para Paul Krugman, a crença de que a austeridade gera confiança é baseada em uma fantasia segundo a qual, por um lado, os governos seriam reféns de "vigilantes invisíveis da dívida", que punem pelo mau comportamento, e, por outro, existiria uma "fada da confiança" que recompensaria o bom comportamento. O autor ainda mostra evidências de que os países europeus que mais aplicaram a austeridade foram os que menos cresceram[6]. Na mesma linha, Skidelsky e Fraccaroli mostram que a confiança não é causa, mas acompanha o desempenho econômico e que austeridade não aumenta, mas diminui a confiança ao gerar recessão[7].

Nesse sentido, é intuitivo pensar que um ajuste fiscal não necessariamente melhora a confiança; um empresário não investe porque o governo faz ajuste fiscal e sim quando há demanda por seus produtos e perspectivas de lucro. Nesse ponto, a contração do gasto público em momentos de crise não aumenta a demanda; ao contrário, essa contração reduz a demanda no sistema. Em uma grave crise econômica, quando todos os elementos da demanda privada (o consumo das famílias, o investimento e a demanda externa) estão desacelerando, se o governo contrair a demanda pública, a crise se agrava.

Interesses velados

Segundo Krugman, quase ninguém acredita no discurso que dominou o debate econômico europeu por volta de 2010[8]. A austeridade é um culto em decadência, e a própria pesquisa que lhe dava suporte foi desacreditada. Mesmo

---

[3] Da redação, "Meirelles: desafio número um é recuperar a confiança", *Veja*, 29 abr. 2016.

[4] Alexandro Martello, Filipe Matoso e Fernanda Calgaro, "Novo ministro da Fazenda fala em corte de despesas, mas sem pacotes", *G1*, 27 nov. 2014.

[5] Yara Aquino, "Temer diz que confiança permite retomada do crescimento da economia", *Agência Brasil*, 11 abr. 2018.

[6] Paul Krugman, "The Austerity Delusion", *The Guardian*, Londres, 29 abr. 2015.

[7] Robert Skidelsky e Nicolò Fraccaroli (orgs), *Austerity vs. Stimulus: The Political Future of Economic* (Londres, Palgrave Macmilan, 2017).

[8] Paul Krugman, "The Austerity Delusion", cit.

instituições conservadoras como o FMI reconhecem o estrago que os cortes de gasto podem fazer em uma economia já frágil. A austeridade é, portanto, uma ideia equivocada do ponto de vista social e contraproducente do ponto de vista do crescimento econômico e do equilíbrio fiscal.

No entanto, como defende Milios, a austeridade não é irracional, tampouco estritamente errada; ela nada mais é que a imposição dos interesses de classe dos capitalistas. Trata-se de uma política de classe ou de uma resposta dos governos às demandas do mercado e das elites econômicas à custa de direitos sociais da população e dos acordos democráticos. Os capitalistas, por sua vez, se beneficiam das políticas de austeridade em três frentes:

- Ao gerar recessão e desemprego, reduzem-se pressões salariais e aumenta-se lucratividade. Como mostram Bova e outros, a austeridade tende a aumentar a desigualdade de renda[9]; em média, um ajuste de 1% do PIB está associado a um aumento no coeficiente de Gini do rendimento disponível de cerca de 0,4% a 0,7% nos dois anos seguintes[10].
- O corte de gastos e a redução das obrigações sociais abrem espaço para futuros corte de impostos das empresas e das elites econômicas, e a redução da quantidade e da qualidade dos serviços públicos aumenta a demanda de parte da população por serviços privados em setores como educação e saúde, o que aumenta os espaços de acumulação de lucro privado.

A austeridade é também um dos três pilares centrais do neoliberalismo, juntamente com a liberalização dos mercados e as privatizações[11]. A racionalidade dessa política é, portanto, a defesa de interesses específicos e, de quebra, um veículo para corroer a democracia e fortalecer o poder corporativo no sistema político[12].

---

[9] Elva Bova, Tidiane Kinda e Jaejoon Woo, "Austerity and Inequality: The Size and Composition of Fiscal Adjustment Matter", *VOX*, 7 fev. 2018, disponível online.

[10] Além disso, os autores constataram que os ajustes baseados em corte de gastos tendem a piorar ainda mais significativamente a desigualdade, em relação aos ajustes baseados em impostos.

[11] Nick Anstead, "The Idea of Austerity in British Politics, 2003-13", *Political Studies*, v. 66, n. 2, 29 set. 2017, disponível online.

[12] Kerry-Anne Mendoza, *Austerity: The Demolition of the Welfare State and the Rise of the Zombie Economy* (Oxford, New Internationalist Publication, 2015), afirma que a austeridade é um veículo para demolir o Estado de bem-estar social e construir as fundações de um novo fascismo: o fascismo corporativo.

Essa perspectiva traz luz para a realidade brasileira, na qual as políticas de austeridade acontecem em um período de extrema instabilidade política e de aumento das tensões de classes. Nesse contexto, a austeridade justapõe as vítimas dos cortes (principalmente a parcela mais pobre da população) com os perpetradores dessas políticas – as elites econômicas e um governo subserviente. No Brasil, a austeridade entrega a ambição de décadas da direita e dos segmentos políticos mais conservadores: revogar o contrato social da Constituição Federal de 1988 e aprofundar as reformas neoliberais.

Antipetismo e conservadorismo no Facebook

Márcio Moretto Ribeiro

O debate político no Brasil hoje está dividido em torno de duas grandes narrativas. De um lado, *antipetistas* defendem que o Partido dos Trabalhadores tomou o poder de Estado para seus interesses particulares e, com a ajuda dos movimentos sociais (que ele supostamente controla), manteve-se no poder até o *impeachment* da ex-presidente Dilma Rousseff. Do outro, *anti-antipetistas* denunciam que, por trás do discurso anticorrupção, esconde-se o verdadeiro interesse do campo antipetista, a saber, o de impedir medidas distributivas que ameaçam privilégios de classe[1]. As narrativas que estruturam o debate sugerem uma dinâmica em que cada grupo se define pela negação da caricatura que faz de polo oposto, por isso a escolha peculiar dos nomes. Hoje a porção dos brasileiros que acompanha e participa do debate público se organiza quase toda nesses dois polos, cuja intersecção é praticamente desprezível. A estrutura das páginas do Facebook que tratam de política ilustra o tamanho do abismo entre ambos (Figura 1).

---

[1] Pablo Ortellado e Márcio Moretto Ribeiro, "Mapping Brazil's Political Polarization Online", *The Conversation*, 3 ago. 2018, disponível online.

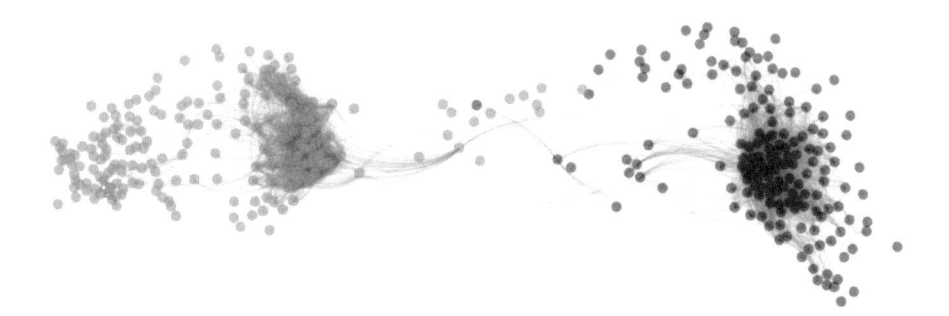

Figura 1: Cada nó no grafo representa uma das cerca de quatrocentas maiores e mais relevantes páginas brasileiras que tratam de política. O peso de uma ligação entre dois nós é proporcional ao número de usuários que interagiram ao mesmo tempo com as duas páginas no período (março de 2016). Os nós estão agrupados espacialmente de acordo com o número e o peso das ligações entre eles. A estrutura espacial dos nós representa assim comunidades de leitores. Aqui, observamos duas grandes comunidades (polos): antipetista (preto) e anti-antipetista (cinza).

Essa estrutura polarizada tem uma história[2]. Ela se formou durante os oito ou dez meses que se seguiram às manifestações de junho de 2013, durante as quais as páginas do Facebook com maior número de interações foram as de produção de conteúdo anticorrupção[3]. Essas páginas, até então, estavam posicionadas entre as páginas de esquerda e as de direita. Muitos de seus leitores se juntaram aos ativistas que se manifestavam contra o aumento das passagens trazendo consigo um conjunto mais difuso de pautas anticorrupção e por mais direitos sociais. Por motivos que não cabe especular neste texto, essa recém-formada esfera pública se cindiu ainda naquele ano, afastando da esquerda grande parte daqueles que foram às ruas pela primeira vez e aproximando-os da direita. Esse deslocamento está na gênese do campo antipetista.

A descrição da estrutura de organização das páginas mais relevantes de um campo nos indica a forma como os usuários da rede estão agrupados em *comunidades de leitores*. Podemos então categorizá-los a partir de seus grupos. Nossa abordagem, assim, não consiste em identificar uma lista de propriedades compartilhada por todos os membros de um grupo, mas em descrever os temas centrais mobilizados por cada subgrupo, indicando assim suas características prototípicas.

---

[2] Idem

[3] Tiago Pimentel e Sérgio Amadeu da Silveira, "Cartografia de espaços híbridos: as manifestações de junho de 2013", *Interagentes*, 10 jul. 2013, disponível online.

Começamos investigando a estrutura interna do polo antipetista (Figura 2). As páginas centrais e com maior número de interações formam um *cluster*, em verde, que contém produtores de conteúdo anticorrupção (Movimento Contra Corrupção e Movimento Brasil Livre são dois bons exemplos). Em 2013, muitas dessas páginas estavam pairando entre as de direita e as de esquerda. Elas representam a subcategoria central do polo. Acima temos um *cluster* formado pelas páginas dos principais quadros e partidos que eram da oposição (destacamos nesse *cluster* as páginas do deputado federal Carlos Sampaio, do PSDB, e do prefeito de Salvador ACM Neto, do DEM). A característica distintiva dos leitores dessas páginas é a de procurarem acompanhar o debate institucional. Abaixo estão as páginas liberais ("Socialista de iPhone" e a página do Partido Novo são dois exemplos típicos desse *cluster*). Por fim, um pouco afastado das demais, abaixo do *cluster* liberal, temos um *cluster* composto por páginas que defendem a atuação da Polícia Militar ("Amigos da Rota" e a página do Coronel Telhada são dois exemplos prototípicos desse *cluster*).

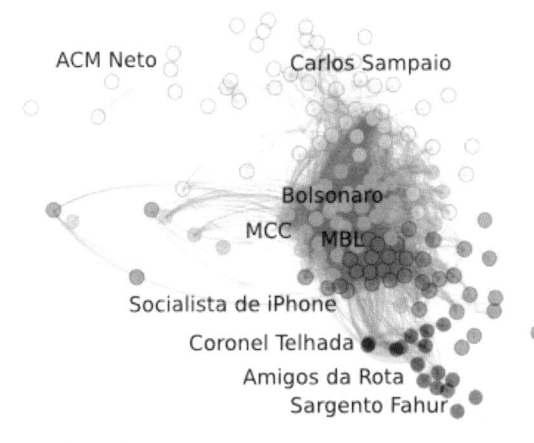

Figura 2: Quando a proporção entre o número de ligações dentro de um conjunto de nós pelo número de arestas total (para dentro e para fora do grupo) é consideravelmente maior do que a proporção esperada em um grafo aleatório, dizemos que esse conjunto forma um *cluster*. No nosso caso, os *clusters* representam comunidades de leitores. O polo antipetista possui quatro *clusters*: partidário (branco), anticorrupção (cinza claro), liberal (cinza escuro) e policial (preto).

Caracterizar o campo antipetista em termos políticos é um desafio analítico não trivial. Pesquisas de opinião nas manifestações indicam que identificá-lo com a direita tradicional é equivocado, pois, contrariando a proposta de suas lideranças, a grande maioria dos manifestantes é a favor de serviços públicos e gratuitos[4]. Além disso, se a esquerda incorporou os temas morais em suas pautas e podemos sem grandes riscos identificá-la com o *campo progressista*, tal qual descrito pela literatura das guerras culturais[5], temos fortes indícios de que a mesma identificação não seja válida entre o polo antipetista e o *campo conservador*.

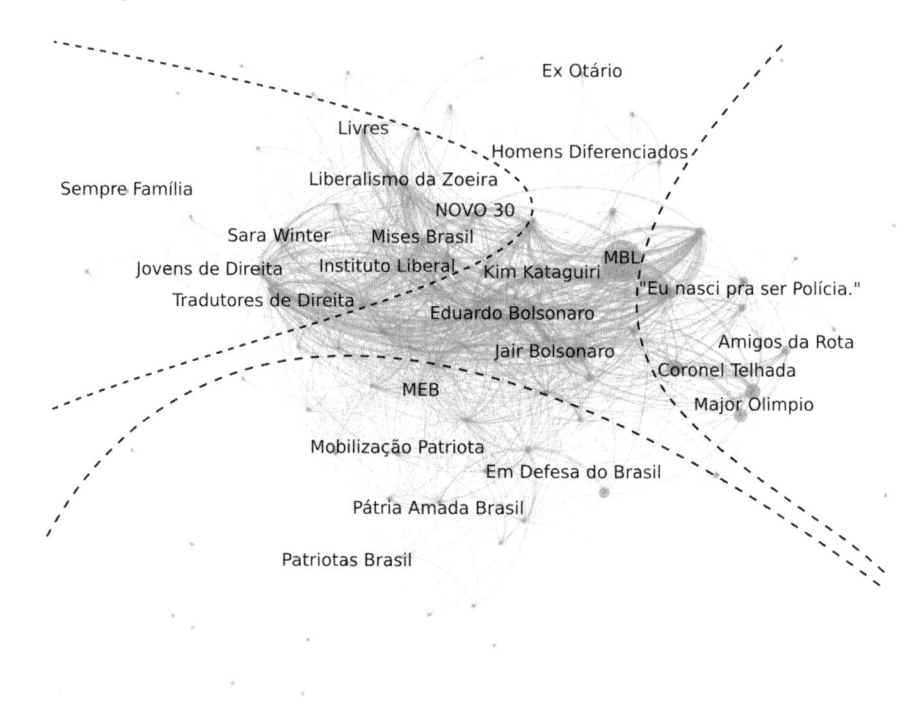

Figura 3: Para este grafo, excluímos as páginas anticorrupção e as páginas de políticos tradicionais e introduzimos a vizinhança das páginas que sobraram. O campo se estrutura em quatro *clusters*: policial (direita), patriota (abaixo), liberal-conservador (esquerda) e central.

Seguindo nosso exercício analítico, descartamos as páginas de políticos tradicionais e as páginas estritamente anticorrupção e incluímos novas páginas na vizinhança das que sobraram, na esperança de que essas sejam representativas do campo conservador. Elas estão estruturadas em quatro *clusters*. À direita

---

[4] Pablo Ortellado, Esther Solano e Lúcia Nader, "Um desacordo entre manifestantes e convocantes dos protestos?", *El País*, 18 ago. 2015, disponível online.

[5] James Hunter, *Culture Wars: The Struggle to Control the Family, Art, Education, Law, And Politics In America* (Nova York, Basic Books, 1992).

se agrupam as páginas de apoio policial, essencialmente as mesmas que apareciam no grafo anterior. Abaixo, as páginas patriotas ("Mobilização Patriota", "Patriotas Brasil" etc.), que reproduzem o mesmo discurso anticorrupção que tentamos isolar. À esquerda se organiza um *cluster* que reúne páginas defensoras do liberalismo econômico (Instituto Mises Brasil, NOVO 30, Instituto Liberal) e páginas conservadoras em termos morais ("Tradutores de Direita", "Eu Sou de Direita", "Sempre Família" etc.). O fato de essas páginas formarem um único *cluster* indica uma tendência de forte aproximação entre as comunidades que quase já não se distinguem. As denúncias moralistas do grupo liberal MBL a exposições de arte com nudez e a inclinação liberal de Jair Bolsonaro são exemplos eloquentes dessa tendência. O *cluster* central junta páginas mais populares que servem de porta de entrada a novos membros e como cartaz para quem observa o debate com algum distanciamento.

Para concluir nossa análise, descrevemos a visão de mundo conservadora mais visível no debate público. Essa descrição foi elaborada a partir das publicações mais compartilhadas produzidas pelas páginas do *cluster* central. A descrição, assim, perde nuances, mas ajuda a entender as ideias que organizam o campo. Essas seriam as ideias dos *exemplares salientes* do grupo, aquelas que se sobressaem e são usadas para julgar, muitas vezes de maneira precipitada, o restante do grupo[6].

Para o conservador saliente, qualquer indivíduo tachado de *vagabundo*, incluindo o menor de idade, perde todos os seus direitos no momento em que opta pela via do crime. Ele deve ser encarcerado ou mesmo morto. Aqueles que protegem o "cidadão de bem", portanto, são vistos como os heróis dessa sociedade. Citando uma frase muito compartilhada de Jair Bolsonaro, um dos ícones desse campo, é preferível "um presídio lotado de vagabundos do que um cemitério cheio de inocentes". Para essa concepção, o motivo pelo qual pessoas seguem a vida do crime é uma educação equivocada; é preciso desde cedo disciplinar as crianças que apresentam comportamentos desviantes da norma para evitar que se tornem vagabundos ou promíscuos; aqueles que defendem os direitos humanos dos bandidos são os mesmos que propagam uma educação frouxa e promíscua que retira a inocência das crianças e as tornam vulneráveis aos pedófilos. Esses, chamados de *esquerdopatas*, são os inimigos; fazem isso para manter a população ignorante e refém de programas sociais que perpetuam políticos corruptos no poder; Lula é o chefe dessa quadrilha

---

[6] George Lakoff, *Moral Politics: How Liberals and Conservatives Think* (Chicago, University of Chicago Press, 2016).

que tem o controle do Judiciário, pois nomeou os ministros do STF, e dos movimentos sociais e sindicatos, que servem como braço armado de um governo mais preocupado em mandar dinheiro para países da América Latina e para sustentar vagabundos do que com os trabalhadores; abundam evidências de que os movimentos sociais e sindicatos são corruptos, violentos e têm como plano oculto a implantação do comunismo no Brasil; o comunismo é um risco ainda maior do que a corrupção, pois ameaça a liberdade do "cidadão de bem"; foi para combater essa ameaça que o Exército foi forçado a intervir em 1964; diferentemente dos dias atuais, naquele tempo havia ordem, tanto pública quanto privada. Essa visão de mundo é autoevidente para todos, mas a mídia, mentirosa e manipuladora, impede que a população a enxergue; por isso é importante procurar e propagar a verdade nas redes sociais.

Neste texto procuramos categorizar o conservadorismo de maneira *radial*, indicando as características prototípicas do campo. O método utilizado foi a identificação e a descrição das comunidades de leitores das páginas de política no Facebook. Começamos descrevendo o campo que se estrutura em torno da narrativa antipetista e cuja formação data do fim de 2013 e o distinguimos do campo conservador. Buscamos então identificar este último, analisando-o com os mesmos métodos e descrevemos suas ideias salientes. Esperamos com isso ter contribuído para a caracterização do campo e, com sorte, para o debate sobre o tema.

Fundamentalismo e extremismo não esgotam experiência do sagrado nas religiões
Henrique Vieira

O fundamentalismo religioso, por sua concepção de mundo e seu modelo de funcionamento, constitui-se em um risco à democracia, aos direitos humanos, ao Estado laico e à diversidade humana. No Brasil ocorre, ademais, a articulação entre setores fundamentalistas cristãos, especialmente evangélicos, e o poder político, institucional e midiático. Esse fenômeno está em franca ascensão e tem influenciado cada vez mais as pautas dos poderes legislativos municipais e estaduais, assim como do Congresso Nacional. Portanto, é preciso compreendê-lo e entender sua tendência extremista. Também é necessário identificar que setores fundamentalistas e extremistas têm ocupado os espaços institucionais e como tal presença tem trazido obstáculos para os direitos humanos, especialmente das mulheres, das pessoas LGBTs, dos indígenas, dos fiéis de religiões de matriz africana e dos movimentos populares progressistas em geral. Torna-se urgente também apontar que essa vertente não representa a pluralidade de experiências religiosas, cristãs e evangélicas no Brasil.

O fundamentalismo religioso cristão trabalha com o conceito de verdade absoluta, inquestionável, eterna, imutável e para além da história. Essa verdade a respeito de Deus se expressa na Bíblia Sagrada. A partir da formulação "está escrito", constrói-se uma visão de mundo, um modelo comportamental e uma forma de lidar com a sociedade. Parece simples, mas não é. Em tal modelo desconsidera-se totalmente que toda leitura é uma interpretação e que toda interpretação está mediada por um contexto histórico e cultural.

A Bíblia é um conjunto de livros escritos em contextos e épocas bem diferentes da atual. Abarca diversos gêneros literários, construções linguísticas e cosmovisões. Inclui os gêneros da poesia, narrativas diversas, textos de sabedoria, cartas, cânticos e uma variedade enorme de histórias. Essa dimensão plural, contudo, é simplesmente silenciada ou não percebida pela leitura fundamentalista. Em nome do "está escrito" ou do isolamento dos textos de seus contextos, atrocidades já foram cometidas ao longo da história: mulheres nas fogueiras da Inquisição; cruzadas sanguinárias em perspectiva de conquista; genocídio de povos indígenas; escravidão do povo negro; construção de ambientes asfixiantes para populações LGBT e tantas outras realidades insensíveis à vida e à dignidade humana. O texto pelo texto, sem contexto, pode gerar práticas impiedosas pretensamente em nome de Deus. Trata-se de uma verdade absoluta mediada por uma espécie de literalidade bíblica. Daí se extrai uma doutrina percebida como a vontade de Deus, a partir da qual o mundo deve ser pensado e a intervenção na sociedade deve ser feita. É preciso notar que, dentro dessa perspectiva, a doutrina não é passível de questionamento, pois é tida como a expressão da vontade de Deus. Questioná-la seria questionar o próprio Deus.

Constrói-se assim um ambiente em que a dúvida é tomada como falta de reverência, temor e fé. Perguntar, reler ou abrir-se para o diálogo ecumênico e inter-religioso não se apresentam como possibilidades reais. Mas, para além do sectarismo, cumpre afirmar que o fundamentalismo, como toda experiência religiosa, constrói subjetividade e forja emoções, sensações e opiniões. É mais que uma mera plataforma de pensamento, um conjunto de conceitos teóricos ou um discurso sobre a vida. O fenômeno religioso trata de uma dimensão profunda do ser humano, pois toca em questões existenciais. A experiência fundamentalista fabrica um olhar sobre o mundo, e o grande dilema é que tal perspectiva religiosa não se reconhece como *um* olhar, mas entende-se como *a* verdade absoluta e universal. É nesse ponto que o olhar crítico para a própria doutrina fica inviabilizado, dificultando ou mesmo impossibilitando a abertura para as diferenças.

Outro elemento característico do fundamentalismo é a articulação entre culpa e medo, a partir de uma perspectiva de rigidez comportamental. Como a leitura bíblica é esvaziada de seu sentido histórico, toda doutrina circula em torno de regras morais individualizantes. Ganha grande importância a ideia de santificação associada a uma noção de "pureza" sexual. Nessa lógica, a sexualidade é trabalhada a partir da perspectiva do controle sobre o corpo, da domesticação dos instintos e do não acolhimento de sua complexidade. Tal perspectiva é também atravessada pelo modelo patriarcal, pela perspectiva heteronormativa e pela cultura machista. O domínio sobre o corpo é pilar da experiência fundamentalista e tal controle se intensifica quando se refere às mulheres. Por isso é importante discutir a sexualidade a partir do viés da liberdade, da autonomia, da responsabilidade, do consentimento, da reciprocidade, do afeto e de outros valores mais profundos e generosos para se pensar a sexualidade humana. O paradigma do controle irrefletido sobre o corpo é exemplar para apontar o ciclo de culpa e medo típico desse modelo de experiência religiosa: a perspectiva da dívida e do erro, forjando a culpa como elemento permanente e o medo relacionado ao encontro com tudo aquilo que difere da doutrina aprendida, que é sempre vista como a vontade de Deus. O fundamentalismo, portanto, acaba alimentando a intolerância, pois não consegue estabelecer pontos de contato e de diálogo com outras manifestações religiosas, dimensões culturais e visões de mundo. Num frase, o fundamentalismo é uma concepção religiosa que dificulta o pleno convívio entre as diferenças.

É um erro, no entanto, achar que toda pessoa fundamentalista está plenamente disposta a práticas de violência. Daí a importância didática de apontar para o extremismo religioso, que se caracteriza pelo fundamentalismo radicalizado em ações truculentas e em projetos de poder. Tanto o fundamentalismo quanto o extremismo se alimentam da intolerância e a impulsionam, mas o extremismo tem a singularidade de se converter em práticas e atitudes de agressão, além da busca pela retirada de direitos dos setores considerados inimigos. Uma pessoa fundamentalista pode passar toda sua vida sem desejar monopolizar o Estado para sua doutrina religiosa ou sair por aí atacando terreiros. Certamente a concepção fundamentalista influenciará o comportamento do indivíduo, levando-o a atitudes intolerantes no universo diário de suas relações pessoais. Isso é um problema e não deve ser minimizado. Contudo, o extremismo é um passo além, mais agressivo e com disposição consciente de atitudes de violência ou de interferência direta no Estado para a imposição de uma determinada doutrina religiosa.

Ainda é preciso apontar que o fundamentalismo e o extremismo apresentam a marca do racismo estrutural da sociedade brasileira. Não é por acaso que as religiões de matriz africana são tanto historicamente quanto atualmente as mais perseguidas. Trata-se do racismo fabricando um olhar que estigmatiza e inferioriza toda manifestação religiosa e cultural que tem relação direta ou indireta com a ancestralidade negra e africana. No ano de 2017, especialmente no Rio de Janeiro, houve um aumento da depredação de terreiros e da perseguição a pais e mães de santo. Tal violência esteve associada à ação de traficantes evangélicos. Mas é um erro identificar tais ações como algo restrito a esse universo. Primeiro, porque se trata de uma violência histórica; segundo, porque existe uma cosmovisão eurocêntrica que cria a narrativa de "demonização" das religiões de matriz africana. Essa narrativa, por sua vez, estimula a construção de ambientes propensos à violência. Os púlpitos que trabalham na lógica da intolerância são "amoladores de faca", porque cúmplices da violência contra mulheres, pessoas LGBTI e membros das religiões de matriz africana. É preciso interpretar o momento histórico e entender essa dinâmica para o desenvolvimento de estratégias capazes de combater a perspectiva fundamentalista e de potencializar as experiências religiosas voltadas para o diálogo e a promoção do bem comum. Certamente uma postura antirreligiosa ou a defesa da religião confinada ao espaço privado não se constituem como caminhos razoáveis.

A religião é uma experiência humana e antropológica. Esta não é uma afirmação do ponto de vista da fé, mas do conhecimento histórico e da simples constatação. É um dado da existência, significativamente presente nas camadas populares. A construção de uma visão que opõe uma militância progressista relacionada à democracia e à superação do capitalismo aos evangélicos no Brasil, por exemplo, é decididamente uma perspectiva equivocada, que somente fortalece os setores fundamentalistas e extremistas. Em diversos movimentos sociais, de luta por terra e moradia, entre outros, é significativa a presença de evangélicos. No fundo, trata-se de uma disputa de narrativa com o objetivo de fortalecer as experiências vinculadas à luta pelo Estado laico, pela democracia e pelos direitos humanos.

Na condição de cristão e pastor, faço questão de reivindicar a pluralidade existente na história do cristianismo e dentro do segmento evangélico. Também considero central resgatar a tradição bíblica ligada à luta dos oprimidos e à defesa da justiça social. Um dos problemas da perspectiva fundamentalista é a supressão da história do cristianismo ou dos cristianismos.

O contexto social dos textos bíblicos é a experiência dos oprimidos. O Antigo Testamento tem como evento central o Êxodo, isto é, o grito de um povo contra a condição de escravidão e o agir de Deus em favor de sua libertação. Todas as histórias e narrativas posteriores têm relação com este evento de libertação. Sempre que este povo distancia-se da ética da libertação, de acordo com o relato bíblico, afasta-se de sua origem e de sua vocação. A tradição profética surge justamente para apontar como os mecanismos de opressão sobre os pobres e os estrangeiros eram incompatíveis com a aliança feita com Deus. A origem, o parâmetro e o critério de tal compromisso era a vida em liberdade e justiça. Dentro dessa mesma perspectiva, a justiça estava ligada diretamente ao fim dos dispositivos de exploração e privilégio.

No Novo Testamento, o centro indubitavelmente é Jesus de Nazaré. Nas palavras de dom Pedro Casaldáliga, em Jesus Deus se fez carne e classe. Deus se fez carne porque nós cristãos afirmamos que Ele é o próprio Deus, assumindo plenamente a beleza e as contingências da condição humana. Porém, esta afirmação não basta, uma vez que, dentro do contexto de espaço, tempo e história, Deus assumiu como lugar de experiência, fala e revelação a terra onde pisam os pés dos oprimidos. A ambiência do evangelho era o povo pobre, vivendo sob o jugo da colonização romana sobre a Judeia e a Galileia. Jesus foi pobre, andou com os oprimidos, venceu preconceitos, denunciou o acúmulo de riquezas, desmascarou a hipocrisia de líderes religiosos e satirizou o domínio romano. O centro de sua mensagem era o "Reino de Deus", que necessariamente era um contraponto ao reino romano. Por essa subversão foi entregue pelos líderes religiosos e executado pelo Império romano em um rito de tortura e de linchamento. O povo pobre que o seguia, contudo, afirmou sua ressurreição, isto é, negou a sentença do Estado e do Templo. Na expressão de Leonardo Boff, a ressurreição era uma insurreição, um ato de desobediência e contra o poder.

Não tenho como objetivo neste breve texto aprofundar toda a beleza revolucionária que vejo na Bíblia. Compartilho o argumento que a melhor maneira de interpretar a Bíblia é a partir da experiência dos oprimidos, pois esta é a ambiência prevalente de seus textos. Também aponto para uma tradição cristã ligada aos anseios mais profundos de justiça. Se Igrejas apoiaram ditaduras militares na América Latina, inúmeras foram as resistências cristãs em todo o continente. Em 1962, em Recife, aconteceu o Congresso Jesus e o Processo Revolucionário Brasileiro, em que a juventude evangélica reuniu diversos intelectuais para debater as questões sociais em apoio às chamadas Reformas de Base (agrária, urbana e de controle de remessa de lucros para o exterior). No contexto católico, o que falar da Teologia da Libertação e das Comunidades Eclesiais de Base (CEBs)? O que falar de Martin Luther King?

O que falar de toda a luta dos negros norte-americanos contra a escravidão e a segregação racial a partir da memória bíblica e da reivindicação do Jesus Negro de Nazaré? O que falar dos anabatistas no século XVI e sua leitura de reforma agrária radical a partir da Bíblia? O que falar da intuição espiritual e ecológica de Francisco de Assis? São apenas alguns exemplos para demonstrar o quanto a perspectiva fundamentalista não tem monopólio sobre a experiência cristã, nem no passado nem no presente. Hoje, existem movimentos e perspectivas feministas, negra e LGBT dentro do campo evangélico e católico. Resistem as CEBs, pastorais progressistas atuam firmemente. No campo evangélico há a Frente de Evangélicos pelo Estado de Direito; o Movimento Negro Evangélico; a Aliança de Batistas do Brasil; a Frente de Evangélicas pela Legalização do Aborto; o Coletivo Esperançar. São apenas alguns dos muitos exemplos de organizações progressistas dentro do campo católico e evangélico. Além disso, existem igrejas nas favelas e periferias fazendo trabalho de base, promovendo inclusão e cidadania.

Assim torna-se necessário um exercício de equilíbrio, isto é, ter a capacidade de denunciar o fundamentalismo e o extremismo religioso cristão como expressões protofascistas no Brasil, mas, ao mesmo tempo, identificar a heterogeneidade desse campo e dialogar e fortalecer as muitas iniciativas que não estão sob o controle das narrativas fundamentalistas.

Moralidades, direitas e direitos LGBTI nos anos 2010
Lucas Bulgarelli

A cena política nacional dos anos 2010 tem convivido com uma intensificação da crítica e da oposição aos direitos LGBTI. Este texto apresenta uma proposta de análise[1] de alguns eventos recentes que colaboram para a interpretação de transformações e realinhamentos em torno dos direitos LGBTI. Sem a pretensão de esgotar a análise sobre tais processos, invisto em uma discussão que considere o modo como esse debate tem aparecido em disputas

---

[1] Estudos recentes têm buscado analisar este fenômeno por meio de diferentes abordagens. É possível destacar, dentre outros, os trabalhos de Pablo Ortellado, Esther Solano e Mario Moretto, *2016: o ano da polarização?* (São Paulo, Fundação Friedrich Ebert Brasil, 2017); Sergio Carrara, Isadora Lins França e Júlio Simões, "Conhecimento e práticas científicas na esfera pública: antropologia, gênero e sexualidade", *Revista de Antropologia*, São Paulo, USP, 2018, v. 61, n. 1 p. 71-82; Rosana Pinheiro-Machado, "A nova direita conservadora não despreza o conhecimento" *Carta Capital*, 10 out. 2017, disponível online, acesso em 30 jul. 2018; e Rogério Diniz Junqueira, "'Ideologia de gênero': a gênese de uma categoria política reacionária, ou: a promoção dos direitos humanos se tornou uma 'ameaça à família natural'?", em Paula Regina Ribeiro e Joanalira Corpes Magalhães (orgs.), *Debates contemporâneos sobre educação para a sexualidade* (Rio Grande, Editora da Furg, 2017).

relacionadas à política institucional-representativa, mas também dentro e fora da internet, alcançando públicos cada vez mais amplos e jovens[2].

Do ponto de vista da política parlamentar-partidária, a oposição aos direitos de mulheres e LGBTI tem se estabelecido, *grosso modo*, por meio das alianças entre políticos conservadores, notavelmente deputados católicos e evangélicos em partidos de centro-direita e de direita. A constituição de alianças contrárias a esses direitos tem sido bem-sucedida[3] ao barrar todos os projetos de leis diretamente relacionados aos direitos LGBTI apresentados no Congresso até hoje. Trata-se de uma agenda contrária aos direitos dessas populações e que manteve algum grau de afinidade com a base de apoio parlamentar de diferentes governos nestas últimas décadas.

Mesmo em administrações petistas, a oposição conservadora e fundamentalista a esses direitos ganhou espaço e força política. Notadamente nos governos de Dilma Rousseff, o fortalecimento de alianças com grupos católicos e evangélicos foram fundamentais para manter a governabilidade. O custo disso, porém, foi um afastamento cada vez maior do governo com as prioridades dos movimentos LGBTI. Tais concessões não impediram que deputados e senadores próximos ao governo e contrários aos direitos LGBTI se alinhassem às forças responsáveis pelo *impeachment* de Rousseff em 2016 – não custa lembrar, acusada pelo crime de responsabilidade fiscal.

Embora a atuação de deputados religiosos e/ou conservadores contrários aos direitos LGBTI pareça recente, o avanço dessas articulações remete ao processo de elaboração da Constituição de 1988. Parte significativa da resistência aos direitos de gays e lésbicas na Assembleia Constituinte é creditada ao que Cristina Câmara identificou como uma bancada evangélica[4]. Essa articulação assegurou a retirada da expressão "orientação sexual" do rol de direitos

---

[2] Uma análise sobre os formatos de atuação do movimento LGBT em diferentes períodos e contextos foi realizada por Regina Facchini e Julian Rodrigues, "Que onda é essa? 'Guerras culturais' e movimento LGBT no cenário brasileiro contemporâneo", em Frederico Viana Machado et al. (org.), *A diversidade e a livre expressão sexual entre as ruas, as redes e as políticas públicas* (Porto Alegre, Rede Unida/Nuances, 2017), p. 35-60.

[3] Exemplos neste sentido são o projeto de "Lei de Combate à Heterofobia" (PL 7382/2010); o PL 6583/2013, que estabelece um "Estatuto da Família"; o PL 01/2015, que visa instituir a "Escola sem Partido" e a retirada do termo "gênero" do Plano Nacional de Educação aprovada pelo Congresso em 2015, desencadeando o mesmo fenômeno em diversos Planos de Educação estaduais e municipais.

[4] Ver, de Cristina Câmara, *Cidadania e orientação Sexual: a trajetória do grupo Triângulo Rosa* (Rio de Janeiro, Academia Avançada, 2002), p. 18.

fundamentais do texto constitucional. Disso decorre a promulgação de uma Constituição democrática que não faz referência à vedação de discriminação por motivos de sexualidade. A autora relata que, apesar de existirem constituintes evangélicos que podiam ser situados como de esquerda ou de centro-esquerda, a exemplo da deputada constituinte Benedita da Silva[5], uma série de embates entre evangélicos e militantes homossexuais tomou conta das votações.

Desde então, o crescimento e o fortalecimento de uma bancada evangélica no Congresso podem ser acompanhados por meio das pesquisas realizadas pelo Departamento Intersindical de Assessoria Parlamentar (Diap). De acordo com o levantamento do órgão sobre atual legislatura (2014-2018), a Frente Parlamentar Evangélica (FPE), registrada na Câmara dos Deputados desde 2003, apresenta um crescimento médio de 20% a cada nova eleição, resultando atualmente em um grupo composto por 198 deputados e quatro senadores[6]. Embora sejam muitas as denominações e vertentes religiosas de matriz evangélica que compõem a FPE, sua atuação em votações envolvendo gênero e sexualidade costuma ser direcionada à defesa de ideias como "família" e "vida", bem como a uma oposição ao que é considerado um desvio dos "valores cristãos".

A bancada evangélica tem cumprido um papel protagonista no impedimento da aprovação de projetos como o PL 122/2006[7] ("Projeto de Lei Anti-Homofobia"), o PL 612/211[8] (que permite o reconhecimento legal da união estável entre pessoas do mesmo sexo) e o PL 5002/2013[9] ("Lei de

---

[5] A então deputada, inclusive, ao aderir à defesa dos direitos homossexuais, afastou-se da maior parte da bancada evangélica, que era acusada na época de se envolver em acordos pouco transparentes em trocas de concessões de emissoras de rádio. Ver ibidem, p. 136.

[6] De acordo com o registro da última legislatura (2014-2018) da Frente Parlamentar Evangélica do Congresso Nacional disponível online no portal da Câmara dos Deputados.

[7] Apresentado pela deputada Iara Bernardi (PT-SP), o então PL 5003/2001 sofreu uma série de resistências tanto na Câmara como posteriormente no Senado. Para algumas entidades cristãs evangélicas e católicas, o argumento utilizado era o de que o projeto feria abertamente a liberdade religiosa e a liberdade de expressão. Ao ter sido remetido ao Senado, o já PL 122/2006 tramitou por comissões e permanece até hoje na Comissão de Direitos Humanos, sob relatoria da senadora Marta Suplicy (MDB-SP, na época PT-SP). Apesar das tentativas de mediação da senadora com o então senador Marcelo Crivella (PRB-RJ, atual prefeito do Rio de Janeiro pelo mesmo partido), o projeto continua dependente de apreciação do plenário.

[8] Proposto pela senadora Marta Suplicy, o projeto teve sua tramitação barrada pelo senador Magno Malta (PR-ES), que apresentou recurso ao PL em maio de 2017, impedindo com que a matéria fosse remetida para apreciação na Câmara.

[9] De autoria do deputado federal Jean Wyllys (PSOL-RJ) e da deputada Erika Kokay (PT-DF), o projeto se baseia na Lei de Identidade de Gênero argentina para criar um marco

Identidade de Gênero João Nery"). Apesar disso, é necessário compreender a natureza das alianças que têm impedido a efetivação desses direitos. Sem dúvidas, os projetos embutidos em tais alianças extrapolam a defesa de uma agenda que pode ser considerada anti-LGBTI, vinculando-se a diversos interesses. Mas são os temas morais, nos quais estão incluídos os debates sobre gênero e sexualidade, que ganham especial destaque ao se tornarem fonte de intensa disputa.

O caráter apelativo destas tensões em torno das moralidades – ou, antes, de perspectivas moralizantes – tem estimulado o surgimento de candidatos que ganham notoriedade por posicionamentos não apenas anti-LGBTI e antifeminista. Trata-se, a bem dizer, de uma agenda que disputa estes direitos de modo a promover torções significativas em conceitos como o de gênero, a fim de que ele opere como um mobilizador do medo.

Parte importante da projeção midiática e da plataforma política do deputado federal Jair Messias Bolsonaro (PSC-RJ), por exemplo, pode ser avaliada neste sentido. Militar de reserva e deputado federal pelo sexto mandato consecutivo, Bolsonaro se popularizou nacionalmente por posições nacionalistas, militaristas e conservadoras. Suas críticas ao comunismo e à esquerda, sua defesa da ditadura militar e de práticas de tortura e sua oposição declarada aos movimentos negro, feminista e LGBTI passaram a repercutir amplamente nas mídias sociais e na imprensa. Frases como "Eu fui num quilombo, o afrodescendente mais leve lá pesava sete arrobas, não fazem nada", "Tenho cinco filhos, foram quatro homens, aí no quinto eu dei uma fraquejada e veio uma mulher" ou "Prefiro que um filho meu morra num acidente do que apareça com um bigodudo" são repetidas e compartilhadas em grupos de discussão no *Facebook*.

Dentre os seus simpatizantes, chama a atenção a adesão crescente de jovens e adolescentes – refiro-me particularmente à faixa dos treze aos dezessete anos, mas também à faixa dos oito aos treze anos. Muitos desses jovens têm iniciado seu engajamento político pela internet em torno da figura do deputado e presidenciável. Invasões a páginas e perfis de militantes LGBTI são algumas das ações adotadas por esses grupos. Isso não significa, no entanto, que

---

legal ao tratamento dispensado pelo Estado para travestis e pessoas trans. As audiências sobre o projeto na Câmara, em 2015, envolveram alguns tumultos que colaboraram para que o projeto deixasse de ser votado. Um episódio na audiência do dia 25 de junho de 2015 no Congresso. foi particularmente repercutido pela imprensa. No meio do discurso do pastor Silas Malafaia na Comissão Especial do Estatuto da Família, a deputada e coproponente do PL João Nery, Erika Kokay, depois de ter sido citada pelo pastor, tentou se retirar do plenário, no que foi impedida fisicamente de fazê-lo pelo deputado Jair Bolsonaro (PSC-RJ).

tais processos de engajamento sejam menos legítimos. Trata-se, pelo contrário, de um aprendizado político bastante eficaz que se baseia em grande parte na valorização da discriminação contra populações como LGBTI. Nesse sentido, é possível afirmar que a agenda anti-LGBTI tem sido tão contrária a tais direitos como o é em relação aos direitos humanos e aos seus defensores. Em nível nacional e em escala global, a ideia de que um consenso mínimo foi construído nas últimas décadas em torno das pautas de direitos humanos alimenta o imaginário daqueles que se sentem injustiçados por viverem em um mundo um pouco menos desigual. É na disputa em torno do próprio sentido da desigualdade, portanto, que se produz um cenário onde o estabelecimento dos direitos humanos teria ido longe demais, desequilibrando o que supostamente parecia equilibrado. Infiltraram-se das instituições estatais à política, do núcleo familiar às mentes das gerações futuras.

Nas mesmas escolas em que estudantes secundaristas lutaram por uma educação de qualidade bastante alinhada às bandeiras dos movimentos LGBTI, feministas e negro, há muitos jovens que não se viram representados pelas ocupações. Não é de se espantar, portanto, que o crescimento da candidatura de Jair Bolsonaro tenha oferecido a muitos desses jovens uma alternativa capaz de fazer experimentar a vida política de maneira rebelde, contestatória e antissistêmica. Até mesmo a noção de opressão passou a ser reinterpretada. Para uma juventude receosa em ser tomada como careta, despolitizada, à margem do curso da história, as representações da opressão funcionam como um dispositivo não apenas legítimo como também "bacana" de se posicionar politicamente.

A disputa em torno da abertura da exposição Queermuseu em Porto Alegre, em setembro de 2017, e a visita da filósofa Judith Butler ao Brasil, em novembro do mesmo ano, são dois episódios que ajudam a entender a centralidade das disputas em torno de temas morais. Ambos os eventos foram marcados por manifestações que denunciavam a suposta "ideologia de gênero" defendida por Butler e pela curadoria da exposição. Creio serem insuficientes as explicações que atribuem tais denúncias ao desconhecimento da obra da autora ou à falta de interpretação de imagens, pois muitos daqueles que saíram em defesa de Butler e do museu também não sabiam desenvolver com exatidão os conceitos da autora ou nomear quais obras estavam expostas. O que vale observar, antes disso, são os regimes de verdade implicados nesses posicionamentos. Afinal, para se opor às bandeiras do movimento LGBTI não basta mais apelar a qualquer noção religiosa, metafísica, tradicional ou biológica. Não basta mais manter as coisas como elas são ou deveriam ser. É necessário, precisamente, defender e disputar esses valores na esfera pública, seja no Parlamento ou nas redes sociais.

A meu ver, a expressão "ideologia de gênero" merece ser entendida a partir do deslocamento do próprio significado de gênero. Trata-se de um mecanismo simples, embora bastante engenhoso, que consiste em reduzir esta categoria a uma ideologia, parcializando sua legitimidade e neutralizando seus efeitos. É característica desse tipo de disputa a multiplicação de políticos e candidatos que adotam a "ideologia de gênero" como um mal a ser combatido. Desde então, professores passaram a enfrentar reações hostis quando abordam gênero e/ou sexualidade em sala de aula, temas considerados controversos, quando não proibidos, por pais e diretores. Essa postura persecutória facilita o trabalho de desconstrução e transformação do gênero em uma categoria diabólica, a chamada "ideologia de gênero", tornando-se facilmente desqualificável.

Antes de um mau uso ou de uma interpretação equivocada do gênero por parte daqueles que o interpretam como uma ideologia, é preciso estar atento aos efeitos dessas torções. Uma crítica possível ao argumento da "ideologia de gênero" passa por decodificar os processos que produzem uma noção do gênero como perigo a ser combatido. Isso implica uma defesa enfática da natureza social e construída das diferenças entre os corpos.

Afinal, é preciso que fique claro que o gênero já opera nas escolas e nas universidades, nos museus e nas peças de teatro, no núcleo doméstico e familiar, quer exista quer não exista um debate sobre o tema em cada uma destas instituições. A necessidade de direitos LGBTI em nada se relaciona à doutrinação de jovens que, antes mesmo do nascimento, já tinham seu gênero especulado e sua sexualidade determinada por familiares. A questão é justamente incidir nas operações assimétricas pelas quais o gênero e a sexualidade distinguem sujeitos a todo momento. A defesa e a atualidade dos direitos LGBTI dependem, cada vez mais, de um esforço político centrado na politização, e não na desqualificação do debate. Embora expressões como *"queer"* e "gênero" tenham íntima relação com a trajetória dos movimentos feministas e LGBTI, talvez seja o caso de admitir que a disputa sobre o significado dessas categorias não pode mais ser tratada como mera questão interna aos movimentos sociais.

Feminismo: um caminho longo à frente
Stephanie Ribeiro

O aborto era punido por lei. E, justamente por precisar ser encoberto, custava caro. Os médicos e obstetras especulavam com os abortos. Um procedimento barato, ao qual recorriam as costureiras, as empregadas e as demais, geralmente era realizado por pessoas incompetentes e acarretavam um grande risco para a mulher. Acabar com a especulação nessa área só é possível com a legalização do aborto provocado por condições sociais gerais desfavoráveis. A luta contra o aborto não deve consistir na perseguição das mulheres, que muitas vezes arriscam a própria vida ao abortar. Tal esforço deve ser direcionado para a eliminação das causas sociais que colocam a mãe em uma situação em que, para ela, só resta abortar ou afogar-se. Enquanto essas circunstâncias gerais não forem extintas, as mulheres continuarão abortando, não importa quão cruéis sejam os castigos sofridos por elas. Não se pode considerar criminosa a destruição de um feto que ainda não se tornou um ser vivo, que ainda constitui uma parte do organismo da mãe. […] Enquanto não for garantido à mulher parir, amamentar e educar o filho em circunstâncias bastante favoráveis, enquanto isso não fizer parte da realidade, enquanto o governo não organizar essa condição, será preciso proporcionar a ela a possibilidade de abrir mão da maternidade com o menor prejuízo possível para a sua saúde e para as forças de sua alma.[1]

Em março de 2017, exatamente cem anos após a manifestação de 8 de março de 1917 na Rússia, a Boitempo lançou o livro *A revolução das mulheres: a emancipação feminina na Rússia soviética*, organizado pela doutora em literatura russa Graziela Schneider. Este trabalho contém uma série de ensaios, artigos, atas e panfletos escritos por mulheres russas no século XX. O trecho que abre este texto foi retirado do artigo "Guerra e maternidade", de 1920, escrito por Nadiéjda K. Krúpskaia, considerada uma das jornalistas proeminentes da época. O texto era uma defesa da escolha das mulheres em relação aos direitos reprodutivos e maternidade. Quase um século depois, seus argumentos encaixam-se perfeitamente no debate feminista brasileiro em relação a um dos principais temas do o movimento: o direito ao aborto seguro e legal.

Mais um século? Mais dois séculos? Estamos muito distantes ainda de uma situação plena de bem-estar físico e psicológico para todas as mulheres.

Em 2013, o Ipea apontava que um terço dos feminicídios no Brasil acontecia dentro da casa das vítimas, das quais 61% eram negras. Já em 2014, o Ipea indicou que 50,7% das vítimas de estupro no Brasil são crianças de até 13 anos. Some-se a isso o fato do Brasil ser o quarto país do mundo em casamento infantil, segundo o Banco Mundial, e ter 68,4 bebês nascidos de mães adolescentes a cada mil meninas de 15 a 19 anos, índice bem acima da média mundial, que é de 46 nascimentos a cada mil, segundo relatório da Organização Mundial da Saúde feito entre 2010 e 2015. No que diz respeito a mulheres negras e indígenas, grupo que por questões de raça, classe e gênero, estão na maioria das vezes numa situação de maior vulnerabilidade, o "Mapa da violência de 2015: homicídio de mulheres no Brasil" anotou que entre 2003 e 2013 houve uma queda de 9,8% no total de homicídios de mulheres brancas, enquanto os homicídios de negras aumentaram 54,2%.

Esses dados sintetizam a situação atual das mulheres num país que ignorou as pautas de gênero e feministas mesmo quando foi governado pela esquerda. Nos governos do PT houve avanços em algumas políticas, outras como o aborto seguro e legal foram deixadas de lado, em nome de conciliações políticas. Nossas vidas estão sendo leiloadas, assim como os poucos direitos que conquistamos até aqui estão em risco, e assim continuarão caso algumas

---

[1] Nadiéjda K. Krúpskaia, "Guerra e Maternidade", em Graziela Schneider (org.), *A revolução das mulheres: a emancipação feminina na Rússia soviética* (São Paulo, Boitempo, 2017), p. 97-8.

medidas das bancadas conservadoras se concretizem. O apoio e avanço que políticos mais conservadores, ligados a certas vertentes religiosas como a evangélica, que misturam suas crenças com seu fazer político, colocam em evidente temor todas as minorias sem acesso a direitos desse país. Por isso nós mulheres brasileiras estamos ameaçadas, mesmo quando nossa realidade já é do constante medo.

Tudo parece muito perigoso no que diz respeito ao que vem sendo defendido – por exemplo, o impedimento do debate de gênero e sexualidade em escolas defendido por esses grupos fundamentalistas religiosos políticos, que pode vir aumentar ainda mais os números de estupros de crianças no Brasil. Os deputados ignoram por conveniência que o país é laico, e as análises sobre as estatísticas de vulnerabilidade não refletem criticamente que, sem a compreensão sobre gênero e sexualidade, crianças e adolescentes se tornam ainda mais suscetíveis aos abusos sexuais. Ademais, sem o debate o mero ato de denunciar é prejudicado, pois muitas crianças abusadas nem sequer sabem que estão sofrendo abuso mesmo hoje, em que esses temas ainda não foram legalmente impedidos de serem debatidos em espaços escolares.

Para quem se acredita defensor da família e dos bons costumes, a ignorância e a comodidade no descaso com que esses temas são tratados indicam-nos das mais diversas formas que o Brasil está sempre pendendo para seu passado colonial, que é mal resolvido. Afinal, são quase quatrocentos anos de exploração negra e indígena.

Há uma *nostalgia colonial* – também por parte da esquerda – que insiste na separação das pautas de gênero e raciais como pontos importantes dos seus projetos, citando esses temas de forma superficial e constantemente paternalistas, deixando nítidos o seu mofo colonial e esquecendo que as opressões de gênero e raça são estruturais e estruturantes para a configuração social nacional e mundial. Portanto, não há avanço sem reconsiderá-las e sem projetos que as coloquem como cerne das questões.

A naturalização da opressão se dá pela invisibilidade do debate a respeito. Nesse sentido, acredito que o feminismo nacional conseguiu viabilizar por meio das disputas de redes sociais muitas de suas pautas. Contudo, não é possível deixar de fazer a autocrítica, que a aceitação se dá em pautas menos sensíveis. Falar de assédio e cantadas de ruas, por mais que compreendam um ponto muito relevante para a discussão sobre direito de escolha sobre nossos corpos, é mais aceito e palatável que falar abertamente de aborto e lutar pela garantia desse direito de forma segura e legalizada. Nós feministas estamos tendo nosso discurso moldados pelos interesses do capital, a partir do momento que eles passaram a se tornar de alguma forma "pop". Isso não é só pelo uso que fazemos das redes, mas pelo distanciamento mútuo da nossa luta emancipatória dos movimentos políticos partidários.

O ponto positivo do feminismo "pop" foi a ampliação dos nossos debates para além das fronteiras acadêmicas, e a maior participação feminina negra e trans, por meio das redes sociais na chamada disputa de narrativas dentro dos meios virtuais. Por outro lado, a ascensão da ideia do feminismo como um *souvenir* é o preço que estamos pagando. Já se fala da ideia de "seja a feminista que quer ser", uma clara alusão a uma lógica liberal para um movimento que por si só tem que ser compreendido como uma luta coletiva, estrutural e emancipatória. Toda vez que vejo alguém defendendo a existência de um feminismo sem comprometimento com outras mulheres, ou de um feminismo que não precisa ter um posicionamento político, penso que um feminismo pautado em ascensão individual e não em rompimento com estruturas opressoras nega totalmente as bases do feminismo. Sendo assim deveria receber outro nome, menos esse. Afinal de contas feminismo é luta coletiva e não um produto de *lifestyle*. Contudo, deve-se esse distanciamento não só à apropriação do capital, mas ao próprio distanciamento e menosprezo de algumas partes relevantes da esquerda para com o feminismo e de algumas mulheres diante dos seus locais de privilégio de classe e raça para com a luta coletiva.

Mulheres feministas em partidos são recorrentemente relegadas a uma posição de base meramente ilustrativa, que muitas vezes assistem às decisões que dizem respeito a mulheres serem tomadas sem a sua consulta. Ou que, pior, não se veem representadas politicamente com apoio nem do partido, tampouco da sociedade que ainda inconscientemente entende que o lugar da mulher não é na política. Nesse sentido, é importante não deixar de destacar dois pontos que marcaram os movimentos feministas desse país e estremeceram tudo que conquistamos até aqui: o golpe que causou o *impeachment* da então presidenta Dilma Rousseff, eleita para o segundo mandato pelo PT, e o assassinato da vereadora do PSOL Marielle Franco.

Nos dois atos foi indicado para nós mulheres, de formas violentas distintas, que o lugar da mulher como um ser político está em risco. Se as revolucionárias russas debatiam no século XX o direito ao voto, cabe a nós lutar pela manutenção do nosso lugar não só como seres que votam, mas seres notáveis e a garantia de permanência até o fim dos nossos mandatos. Marielle Franco e Dilma Rousseff tiverem suas trajetórias políticas interrompidas, uma delas de forma fatal por meio de um assassinato, e a outra por uma série de condutas e alianças políticas e da sociedade, que impediram a continuação do seu governo. Ficou claro o silenciamento de Marielle e o que ela representava como lésbica, favelada, negra, mãe e a quinta vereadora com mais votos do Rio de Janeiro, defendendo ao longo da sua vida política as pautas de direitos humanos. E a também retomada do poder para homens brancos por meio do duro golpe que impactou o segundo mandato de Dilma. Mesmo que as duas situações tenham pesos diferentes, simbolicamente duas mulheres foram interrompidas de formas distintas do seu fazer político, e a mais violenta sem dúvidas foi a brutal execução de Marielle, uma mulher negra que ao longo da sua conduta não conciliou em prol dos direitos humanos.

Ambas as situações de violência, com graus distintos, ao impactar diretamente duas mulheres em cargos políticos, eleitas dentro da legalidade, nos indica que, dentro do sistema criado para favorecer homens brancos, só eles terão vez. É indispensável desconsiderar gênero e, no caso de Marielle Franco, também raça, para se fazer uma análise desses dois fatos que foram, ao lado da prisão do ex-presidente Lula, os mais marcantes na história política recente do Brasil.

Por trás do assassinato de Marielle e do *impeachment* de Dilma está a constatação de que ainda não superamos o Brasil de séculos atrás. Está o fato que ainda não superamos as capitanias hereditárias, os "homens bons" do Brasil colônia e muito menos a corrupção, que é estrutural e não uma questão de caráter de alguns. São esses "homens bons" que almejam uma retomada e estão se organizando para isso, agindo de forma explícita ao colocar nossos direitos em risco, inclusive os direitos de votarmos e ser votadas. A plena cidadania de uma mulher é exercida quando ela pode votar em outras mulheres e em projetos de governos que defendam seus interesses. Esse direito vem nos sendo negado por anos, e ele facilmente explica não só por que Dilma Rousseff foi a primeira presidenta do Brasil, como também por que passou por um processo violento de impedimento. Não existe cidadania plena para mulheres no Brasil.

É dentro desse cenário que avançam as pautas conservadoras defendidas em especial por políticos ligados às igrejas evangélicas – o golpe, seguido pelo assassinato de uma vereadora, e o feminismo sendo tratado como estilo de vida e não como luta política, tudo assombra nesta hora. Temos, de um lado, um projeto de país muito bem traçado, um projeto de retomada e reação conservadora, e, de outro, um sentimento de perda que ainda não conseguiu articular a forma de agir em relação a isso.

Retomo o início deste texto e cito mais uma revolucionária russa, e o faço não de forma nostálgica, mas de forma crítica para a compreensão do lugar que estamos para o lugar que almejamos estar. Este é um lugar que se dará apenas na luta coletiva em prol de uma nova consciência política e social e contra o retrocesso conservador. Faço minhas as palavras de Ariadna V. Tirkóva-Williams no seu artigo "A transformação psicológica da mulher ao longo dos últimos cem anos":

> Seria mais adequado dizer que a consciência não despertou, mas ainda está despertando. Pois não é fácil encontrar um caminho até a formação de um novo caráter feminino por intrincados labirintos, preconceitos, tradições e reminiscências do passado que talvez tenha sido útil em algum momento, excepcionalmente, para aquela cultura masculina na qual vivia a humanidade.[2]

---

[2] Ariadna V. Tirkóva-Williams, "A transformação psicológica da mulher ao longo dos últimos cem anos", em Graziela Schneider (org.), *A revolução das mulheres*, cit., p. 143.

O discurso reacionário de defesa de uma "escola sem partido"
Fernando Penna

Muitas pessoas acreditam hoje, em meados de 2018, que não é mais necessário perder tempo discutindo o projeto Escola sem Partido, afinal de contas, ele já teria sido considerado inconstitucional. Essa posição é extremamente equivocada por uma série de razões:

- A discussão sobre a constitucionalidade de algo não é tão simples assim, apesar da força dos argumentos no questionamento do projeto.
- A defesa de uma "escola sem partido" constitui uma grave ameaça para a educação brasileira, com ou sem a transformação desse projeto em leis municipais, estaduais ou federal. O discurso reacionário de defesa da proposta é superficial, e sua argumentação é extremamente frágil, se pensarmos em um debate com a contraposição de ideias, mas seu caráter fragmentado, fortemente calcado no ódio aos professores e abusando da manipulação política do pânico moral é uma receita de sucesso nas redes sociais. A adesão a esse discurso leva pais e estudantes a assediarem professores que se enquadram na figura do "inimigo" desenhado nessa paranoia persecutória.

- Ainda mais importante é o fato de que mesmo nos lugares onde a proposta ainda não foi convertida em lei, o impacto desse discurso já pode ser sentido no cotidiano das escolas. Alguns professores deixam de discutir temáticas importantes, por medo de enfrentarem uma campanha de perseguição.

Explorarei os três argumentos no desenvolvimento do presente texto, mas antes é importante deixar claro os motivos pelos quais sou contra o projeto Escola sem Partido.

"Você é contra o Escola sem Partido? Então defende que professores podem fazer propaganda partidária em sala de aula?" Fico cansado só de lembrar a quantidade de vezes que já ouvi variações desta pergunta. O nome "escola sem partido" foi muito bem escolhido para explorar o enorme desprezo que a maioria dos brasileiros sente em relação aos políticos profissionais. A expressão coloca-nos diante de uma dicotomia: ou você é a favor de uma escola sem partido ou de uma escola com partido. Uma pessoa que não conheça a atuação do movimento ou o teor dos projetos tende a declarar a sua adesão, só porque o termo já mobiliza o desprezo comum pela política partidária. O grande problema é que não é disso que trata o projeto: sob a desculpa de combater a propaganda partidária em sala de aula, ele na verdade pretende erradicar a dimensão educacional da escola. Sou contra o uso do espaço da sala de aula para fazer propaganda partidária, mas isso não faz de mim um defensor do projeto. Para o movimento, os professores não são educadores, mas burocratas que devem apenas transmitir conteúdos definidos por lei, sem mobilizar valores e sem falar da realidade na qual a escola está inserida.

A homofobia, pela lógica da Escola sem Partido, não deve ser um tema de sala de aula. Não consigo imaginar um professor que presencie um caso de homofobia em sala de aula e apenas puna o seu aluno, sem aproveitar a situação para discutir uma temática que afeta toda a sociedade brasileira e, consequentemente, o cotidiano da sala de aula.

Sou contra o Escola sem Partido porque sou a favor de uma educação democrática, e as duas ideias são incompatíveis. Qualquer um que defenda o papel da escola na educação dos jovens deveria ser contra também.

O projeto foi apresentado em mais de dez estados e no Distrito Federal, mas foi aprovado em apenas um deles: a lei 7.800/2016 de Alagoas, com o nome ainda mais enganador de "Escola Livre". Foram apresentadas duas ações diretas de inconstitucionalidade (ADIs 5.537 e 5.580), e uma série de pareceres tornaram-se parte dessas ações: a nota técnica da Procuradoria Federal dos

Direitos do Cidadão, o parecer da Procuradoria Geral da República e a medida cautelar do Supremo Tribunal Federal que suspendeu o efeito da lei em questão. Todos esses documentos defendem a inconstitucionalidade da lei de Alagoas. Vejam bem: a lei já foi considerada inconstitucional por vários órgãos importantes e está suspensa, mas, até agosto de 2018, a ação ainda não tinha sido julgada. Não podemos afirmar terminantemente que ela é inconstitucional antes disso. E, mesmo que seja, é uma ação referente à lei estadual de Alagoas e não se aplica diretamente em todos os pontos ao projeto de lei nacional, por exemplo. Todos esses documentos e informações são importantíssimos na argumentação contra a proposta, mas não encerram o debate, muito menos anulam as consequências negativas do discurso reacionário na escola. É um combate ainda em curso.

A grande questão em disputa é quem educa: a família e/ou a escola? Quais são os objetivos da educação? O movimento Escola sem Partido defende que apenas a família e a religião podem educar, e os professores devem se restringir a instruir os alunos com o único objetivo de qualificá-los para o trabalho. Tal assertiva qualifica o projeto como uma iniciativa que busca destruir o caráter educacional da escola e da sala de aula como espaço de debate e aprendizado para a vida.

O projeto tenta proibir "a veiculação de conteúdos ou a realização de atividades que possam estar em conflito com as convicções religiosas ou morais dos pais ou responsáveis pelos estudantes" (Art. 3º PL 867/2015). A escola estaria proibida de discutir a teoria da evolução, por exemplo, porque algumas famílias acreditam no criacionismo, ou mesmo a cultura afro-brasileira, porque algumas religiões demonizam elementos das crenças africanas. Também estaria proibida de criticar a tortura durante a ditadura militar no Brasil, porque alguns pais pedem intervenção militar. E, até mais do que isso, os alunos podem tornar-se alcaguetes, pois, pelo projeto, são estimulados a denunciar os professores anonimamente: "As secretarias de educação contarão com um canal de comunicação destinado ao recebimento de reclamações relacionadas ao descumprimento desta Lei, assegurado o anonimato" (Art. 7º PL 867/2015). Não por acaso, essa cultura do denuncismo foi uma característica dos regimes nazifascistas. Não é preciso ser um especialista em direito constitucional para reconhecer a inconstitucionalidade dessa proposta, basta se lembrar do artigo 205 da nossa Constituição Federal de 1988: "A educação, direito de todos e dever do Estado e da família, será promovida e incentivada com a colaboração da sociedade, visando ao pleno desenvolvimento da pessoa, seu preparo para o exercício da cidadania e sua qualificação para o trabalho". Não há espaço para dúvidas: a educação é uma tarefa colaborativa na qual a escola é um elemento tão importante quanto a família e educar para o exercício da cidadania é um objetivo constitucional.

Classifico a defesa do projeto como um discurso reacionário porque ele constitui uma reação aos avanços que o Brasil experimentou nas últimas décadas em suas políticas públicas educacionais. Por exemplos: duas leis (10.639/2003 e 11.645/2008) tornaram obrigatório o ensino de história e de cultura afro-brasileira e indígena. Isso incomoda tanto que o movimento acusa de "doutrinação religiosa de candomblé e umbanda" um livro que apenas traz uma representação infantilizada do orixá Xangô, acompanhada de uma legenda meramente informativa.

Houve grandes avanços na produção de materiais didáticos que discutem questões de gênero e esta temática tornou-se o foco do maior ataque do discurso reacionário. Mas por que o gênero? Porque é uma agenda que movimentos como o Escola sem Partido usam para explorar politicamente o desconhecimento de uma parcela significativa da população sobre o cotidiano das escolas e sobre as próprias discussões de gênero e sexualidade. Hoje sabemos que ninguém escolhe a sua orientação sexual (por isso não se usa mais o termo "opção"), mas o discurso reacionário quer fazer acreditar que a escola tem como objetivo transformar os jovens em gays e lésbicas, a fim de destruir a "família tradicional" e ensinar "pedofilia". Por isso usam o termo "ideologia de gênero" – uma poderosa ferramenta política para manipular o pânico moral em troca de ganhos eleitorais. A tentativa de censurar a discussão de gênero nas escolas é uma estratégia transnacional. Nas eleições de 2018, os membros da bancada cristã (católicos e evangélicos) já declararam que não negociaram a pauta contra a "ideologia de gênero".

A pior consequência do discurso reacionário no campo educacional é a adesão de muitos à campanha de ódio aos professores, que leva a práticas persecutórias e ao denuncismo. Professores que não fazem parte de redes de sociabilidade docente fortes já têm se autocensurado por medo de notificações extrajudiciais, processos por danos morais, demissões, violência física e até ameaças de morte. Estão deixando de discutir temáticas importantes previstas em diretrizes educacionais e de acordo com sua formação profissional por medo. Por isso precisamos ficar atentos às casas legislativas nas quais tramitam os projetos e combater esse discurso reacionário em todos os espaços públicos e privados. Não basta ser contra os retrocessos vividos no campo educacional (e fora dele): ao nos contrapor a eles, temos a oportunidade de formular uma pauta propositiva em defesa de uma educação democrática. Não existe uma definição pronta do que seria esta educação democrática, justamente porque ela só pode ser construída politicamente frente aos desafios e ameaças característicos de cada contexto histórico. Mais do que desânimo frente ao período de retrocessos que vivemos, podemos aproveitá-lo como uma oportunidade para refundar nossa luta pela educação democrática e pela escola pública, enfrentando esses novos desafios e ameaças.

INCRIVEL! SEU CU CICATRIZOU! O SENHOR NÃO USA?
O QUE ESTÁ INSINUANDO? NÃO SOU VIADO!!
SIM, MAS O SENHOR NÃO CAGA?
SÓ PELA BOCA.
© LAERTE

Sobre os autores

Camila Rocha é mestre e doutoranda em ciência política pela USP, membro do grupo de trabalho "Derechas contemporáneas: dictaduras y democracrias", vinculado ao Clacso, e pesquisadora do Instituto Nacional de Ciência e Tecnologia para Estudos sobre os Estados Unidos (INCT-INEU).

Carapaná é o pseudônimo usado por um anônimo, autor da página *Eh Várzea*. Atuante no Twitter e nos podcasts *Viracasacas*, *AntiCast* e outros.

Edson Teles é professor de filosofia na Unifesp e militante da Comissão de Familiares de Mortos e Desaparecidos Políticos da Ditadura. Foi um dos organizadores do livro *O que resta da ditadura* (Boitempo, 2010) e é autor de *Democracia e estado de exceção* (Unifesp, 2015) e *O abismo na história* (Alameda, 2018).

Esther Dweck é professora do Instituto de Economia da UFRJ, ex-secretária de orçamento do Ministério do Planejamento e uma das organizadoras do livro *Economia para poucos: impactos sociais da austeridade e alternativas para o Brasil* (Autonomia Literária, 2018).

Esther Solano Gallego é doutora em ciências sociais pela Universidad Complutense, de Madri, onde atua como professora do mestrado interuniversitário internacional de estudos contemporâneos da América Latina, e professora de relações internacionais da Universidade Federal de São Paulo.

Fernando de Araújo Penna é professor adjunto da Faculdade de Educação da UFF e parte do corpo docente do Programa de Pós-Graduação em História Social da FFP-UERJ. Doutor e mestre em educação pela UFRJ, atualmente coordena o Movimento Educação Democrática e foi condecorado com a medalha Tiradentes (ALERJ, 2017).

Ferréz é escritor e militante. Autor de vasta obra, é também fundador da marca 1DaSul, do Selo Povo e da ONG Interferência, que promove educação, cultura e arte para crianças e adolescentes.

Flávio Henrique Calheiros Casimiro é doutor em história social pela UFF, na linha de história contemporânea. É professor de história econômica do Instituto Federal do Sul de Minas Gerais e publicou diversos artigos sobre novas estratégias de organização das classes dominantes e os aparelhos da nova direita no Brasil contemporâneo.

Gilberto Maringoni é doutor em história social pela FFLCH-USP, professor de relações internacionais da UFABC e autor, entre outros, de *Angelo Agostini: a imprensa ilustrada da Corte à Capital Federal* (Devir, 2011). Publicou quadrinhos no Brasil, Portugal, Espanha, Itália e França.

Gregório Duvivier é ator e escritor. Formado em letras pela PUC-RJ, ganhou notoriedade com o canal *Porta dos Fundos* e hoje apresenta o talk show *Greg News*, na HBO Brasil. É autor do livro *Put Some Farofa* (Companhia das Letras, 2014), entre outros.

Henrique Vieira é teólogo formado pela Faculdade Batista do Sul do Brasil e cientista social formado pela UFF. É ator formado pela Oficia Social do Teatro, de Niterói-RJ. Membro do conselho deliberativo do Instituto Vladimir Herzog, compõe o Coletivo Esperançar, que relaciona Evangelho e direitos humanos, e a Frente de Evangélicos pelo Estado de Direito.

Laerte é autora de quadrinhos, cartuns e charges. É uma das criadoras da revista *Balão* e da empresa *Oboré*. Publicou seu trabalho nos maiores periódicos nacionais e participou da redação dos programas *TV Pirata*, *TV Colosso* e *Sai de Baixo*, da Rede Globo, e apresentou o programa *Transando com Laerte*, no Canal Brasil. Tem dezenas de livros publicados, ilustrou outros tantos e é um dos maiores nomes da história das artes gráficas no Brasil.

Lucas Bulgarelli é bacharel em direito pela USP e mestre e doutorando em antropologia pela mesma instituição. É autor de trabalhos sobre gênero e sexualidade, movimentos sociais e mídias sociais.

Lucia Scalco é doutora em antropologia social pela Universidade Federal do Rio Grande do Sul. Coordenadora do grupo de trabalho "Políticas para família, gênero e geração" do Centro de Estudos Internacionais sobre Governo da UFRGS. Atua principalmente nos seguintes temas: classes populares, juventude e consumo.

Luis Felipe Miguel é professor titular da Universidade de Brasília, onde coordena o Grupo de Pesquisa sobre Democracia e Desigualdades (Demodê). Publicou, entre outros, os livros *Democracia e representação* (Unesp, 2014) e *Dominação e resistência* (Boitempo, 2018).

Luiz Gê é formado em arquitetura pela FAU-USP. Foi chargista da *Folha de S.Paulo*, cartunista e colunista do *Estado de S. Paulo*, além de ilustrador, editor de arte e colaborador dos principais periódicos do país. Mestre pelo Royal College of Art e doutor pela ECA-USP, é professor na Universidade Presbiteriana Mackenzie e autor de *Território de bravos* (Editora 34, 1993), entre outros.

Márcio Moretto Ribeiro é doutor em ciência da computação pela USP e desde 2013 é professor da EACH-USP, onde é membro do Grupo de Políticas Públicas para o Acesso à Informação (GPoPAI) e um dos coordenadores do Monitor do Debate Político no Meio Digital. Recebeu prêmio de melhor tese de doutorado pela Sociedade Brasileira de Computação em 2011 e é coautor de *Escolas de luta* (Veneta, 2016).

Pedro Rossi é professor do Instituto de Economia da Unicamp, diretor do Centro de Conjuntura e Política Econômica da Unicamp e um dos organizadores do livro *Economia para poucos: impactos sociais da austeridade e alternativas para o Brasil* (Autonomia Literária, 2018).

Rosana Pinheiro-Machado é cientista social e antropóloga. Depois de escrever uma tese amplamente premiada no Brasil, lecionou no Departamento de Desenvolvimento Internacional da Universidade de Oxford e hoje atua como professora visitante do exterior na Universidade Federal de Santa Maria. É autora de diversos livros, incluindo *Counterfeit Itineraries in the Global South* (Routledge 2017).

Rubens R. R. Casara é doutor em direito, mestre em ciências penais e juiz de direito do Tribunal de Justiça (RJ). É autor de *Estado pós-democrático* (Civilização Brasileira, 2017) e *Processo penal do espetáculo* (Tirant, 2018).

Silvio Luiz de Almeida é doutor e pós-doutor em filosofia e teoria geral do direito pela Faculdade de Direito da USP. Advogado e professor universitário, é presidente do Instituto Luiz Gama. Autor de *Sartre: direito e política* (Boitempo, 2016) e *O que é racismo estrutural?* (Letramento, 2018).

Stephanie Ribeiro é arquiteta e urbanista pela PUC de Campinas e atua também como escritora e colunista de revistas e sites, com textos publicados no Brasil e internacionalmente. Escreve e palestra sobre feminismo, questões raciais, arte, estética, moda, urbanismo e desigualdades.

TINTA VERMELHA [✊]

Outros títulos publicados:

Educação contra a barbárie
Por escolas democráticas e pela liberdade de ensinar
organização Fernando Cássio
Alessandro Mariano, Alexandre Linares, Ana Paula Corti, Aniely Silva, bell hooks, Bianca Correa, Bianca Santana, Carolina Catini, Catarina de Almeida Santos, Daniel Cara, Denise Botelho, Eudes Baima, Isabel Frade, José Marcelino de Rezende Pinto, Maria Carlotto, Marina Avelar, Matheus Pichonelli, Pedro Pontual, Rede Brasileira de História Pública, Rede Escola Pública e Universidade, Rodrigo Ratier, Rogério Junqueira, Rudá Ricci, Sérgio Haddad, Silvio Carneiro, Sonia Guajajara, Vera Jacob Chaves

prólogo Fernando Haddad
apresentação Fernando Cássio
quarta capa Mario Sergio Cortella
ano 2019

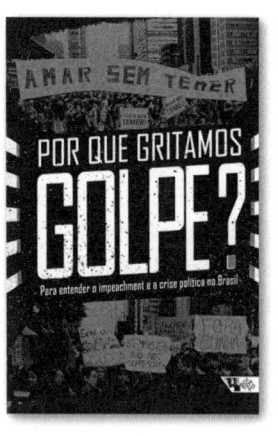

Por que gritamos golpe?
Para entender o impeachment e a crise política no Brasil
organização Ivana Jinkings, Kim Doria e Murilo Cleto
André Singer. Armando Boito Jr., Ciro Gomes, Djamila Ribeiro, Eduardo Fagnani, Esther Solano, Gilberto Maringoni, Graça Costa, Guilherme Boulos, Jandira Feghali, Juca Ferreira, Laerte Coutinho, Leda Maria Paulani, Lira Alli, Luis Felipe Miguel, Luiz Bernardo Pericás, Marcelo Semer, Márcio Moretto, Marilena Chaui, Marina Amaral, Mauro Lopes, Michael Löwy, Mídia NINJA, Murilo Cleto, Pablo Ortellado, Paulo Arantes, Renan Quinalha, Roberto Requião, Ruy Braga, Tamires Gomes Sampaio, Vítor Guimarães

prólogo Graça Costa
apresentação Ivana Jinkings
quarta capa Boaventura de Sousa Santos e Luiza Erundina
ano 2016

Bala perdida
A violência policial no Brasil e os desafios para sua superação

Bernardo Kucinski, Christian Ingo Lenz Dunker, Coronel Íbis Pereira, Fernanda Mena, Guaracy Mingardi, Jean Wyllys, João Alexandre Peschanski, Laura Capriglione, Luiz Eduardo Soares, Maria Lúcia Karam, Maria Rita Kehl, Movimento Independente Mães de Maio, Rafa Campos, Renato Moraes, Stephen Graham, Tales Ab'Sáber e Vera Malaguti Batista
prefácio Marcelo Freixo e Eduardo Suplicy
coedição Carta Maior
ano 2015

Brasil em jogo
O que fica da Copa e das Olimpíadas?

Andrew Jennings, Antonio Lassance, Carlos Vainer, Ermínia Maricato, Jorge Luiz Souto Maior, José Sérgio Leite Lopes, Luis Fernandes, MTST, Nelma Gusmão de Oliveira e Raquel Rolnik
apresentação João Sette Whitaker Ferreira
quarta capa Juca Kfouri e Gilberto Maringoni
coedição Carta Maior
ano 2014

Cidades rebeldes
Passe livre e as manifestações que tomaram as ruas do Brasil

Carlos Vainer, David Harvey, Ermínia Maricato, Felipe Brito, João Alexandre Peschanski, Jorge Luiz Souto Maior, Leonardo Sakamoto, Lincoln Secco, Mauro Luis Iasi, Mike Davis, Movimento Passe Livre, Pedro Rocha de Oliveira, Ruy Braga, Silvia Viana, Slavoj Žižek e Venício A. de Lima
prefácio Raquel Rolnik
quarta capa Paulo Arantes e Roberto Schwarz
imagens Mídia NINJA
coedição Carta Maior
ano 2013

Occupy
Movimentos de protesto que tomaram as ruas

David Harvey, Edson Teles, Emir Sader, Giovanni Alves, Immanuel Wallerstein, João Alexandre Peschanski, Mike Davis, Slavoj Žižek, Tariq Ali e Vladimir Pinheiro Safatle
prefácio Henrique Carneiro
quarta capa Leonardo Sakamoto
coedição Carta Maior
ano 2012

Concluído em setembro de 2018, mês que foi selado pelo incêndio do Museu Nacional – mais um crime da austeridade e a maior tragédia já registrada contra o patrimônio histórico-cultural brasileiro –, este livro foi composto em Adobe Garamond Pro, 11/13,3, e reimpresso em papel Avena 80 g/m² na gráfica Lis, para a Boitempo, em abril de 2021, com tiragem de 2 mil exemplares.